E MARKTPLATZ

SHEIM

MARKET PLACE

TEMPELHAUS   WEDEKINDHAUS   LÜNTZELHAUS   ROLANDSTIFT   BÄCKERAMTSHAUS   KNOCHENHAUER-
AMTSHAUS

HISTORIQUE

SHEIM

HARTMUT HÄGER

DAS SCHÖNE

HILDESHEIM

BEAUTIFUL HILDESHEIM · LA BELLE HILDESHEIM

MIT FOTOS VON FRANZISKA LENFERINK

2013

GERSTENBERG

Der Autor

Dr. Hartmut Häger, am 5. Mai 1948 in Klein Düngen (heute: Bad Salzdetfurth) geboren, lebt seit 1969 in Hildesheim. Nach dem Studium an der Pädagogischen Hochschule Niedersachsen, Abteilung Alfeld/Hildesheim, war er Lehrer, Konrektor und Rektor in Drispenstedt, auf der Marienburger Höhe und in Himmelsthür. Nach einer Tätigkeit als Schulaufsichtsbeamter im Landkreis Peine kehrte er als Dezernent an das Niedersächsische Landesamt für Lehrerbildung und Schulentwicklung nach Hildesheim zurück. Inzwischen befindet er sich im Ruhestand. Von 1986 bis 2011 war er Ratsherr, seit 1996 auch Vorsitzender der SPD-Fraktion.

Die Fotografin

Franziska Lenferink, 1966 in Holzminden geboren, lebt seit 1986 in Hildesheim. Sie ist verheiratet und hat zwei Töchter. Nach ihrem Grafikdesign-Studium an der HAWK und anschließender Agentur- und Dozententätigkeit arbeitet sie seit 2003 freiberuflich mit den Schwerpunkten Fotografie und Illustration. Im Verlag Gebrüder Gerstenberg ist u. a. im Jahr 2006 ihr Band „Rosen in Hildesheim" erschienen.

Übersetzungen:
ins Englische von Annie Garlid
ins Französische von Rose-Marie Soulard-Berger

Die Texte zu den Auflagen 1–5 stammten von Joachim Raffert (1925–2005).

Bibliografische Information der Deutschen Nationalbibliothek
Die Deutsche Nationalbibliothek verzeichnet diese Publikation in der Deutschen Nationalbibliografie; detaillierte bibliografische Daten sind im Internet über http://dnb.d-nb.de abrufbar.

Bildnachweis:
Vorsatz vorn: Collage „Historischer Marktplatz" von Marion Lidolt
Vorsatz hinten: Ausschnitt aus der amtlichen Stadtkarte (Stadt Hildesheim, Vermessung und Geodaten)
Seite 1: Der Tausendjährige Rosenstock an der Apsis des Domes
Seite 2: Das Knochenhauer-Amtshaus am historischen Marktplatz
Seite 3: Fachwerkhäuser in der Knollenstraße
Seite 5: Im Magdalenengarten
Seite 6: Tradition und Moderne vereint an der Bischofsmühle
Seite 18: Blick vom Berghölzchen auf die Stadt
Seite 35: Der Kalenberger Graben
Seite 40: Blick vom Andreasturm nach Südwesten
Seite 59: Ein typisch-„moderner" Straßenzug Hildesheims
Seite 64: Rosenlabyrinth im Ernst-Ehrlicher-Park

Umschlaggestaltung: Prof. Marion Lidolt

Gesamtherstellung: Verlag Gebrüder Gerstenberg GmbH & Co. KG, Hildesheim

6. vollständig überarbeitete Neuauflage 2013

ISBN 978-3-8067-8597-5

Inhalt

Stadtportrait Hildesheim

●

Hildesheim: Hildes Heim? Tatsächlich vermutete ein hannoverscher Geistlicher im 16. Jahrhundert, der Name „Hildesheim" gehe auf die Gemahlin Karls des Großen, Hildegard, zurück. Aber er ist wohl älter. Zwar wurde das Bistum Hildesheim 815 von ihrem Sohn Ludwig dem Frommen gegründet, aber es muss bereits einen Ort gegeben haben, der Hiltwinesheim geheißen hat. Dann wäre nicht die Kaiserin Hildegard, sondern Hiltwin, ein Dorfbewohner, der Namenspatron. Das alte Dorf gibt es noch heute in Hildesheim, jedenfalls als Straßenbezeichnung nördlich der Bahnlinie.

Schon in der Bronzezeit siedelten am Rand der norddeutschen Tiefebene Menschen. Bei der Erschließung von Baugebieten in Einum, Achtum und Itzum stieß man auf die sterblichen Überreste von Bandkeramikern, die dort vor rund 7500 Jahren gelebt haben. Entlang der Höhenzüge verlief ein Handelsweg in West-Ost-Richtung, der Hellweg, der die Furt im Innerstetal als Flussübergang nutzte. Ihn kreuzte ein Fernhandelsweg in Nord-Süd-Richtung, der von der Nordsee bis ins Sudentenland oder bis an den Alpenrand führte. Furten und Wegkreuzungen sind natürliche Siedlungszellen, denn sie versprechen Arbeit, Warenaustausch und interessante Begegnungen. Die mittelalterliche Bau- und Kunstgeschichte Hildesheim legt davon beredt Zeugnis ab. Für seine Christussäule ließ sich Bischof Bernward um das Jahr 1000 von der römischen Trajanssäule inspirieren. Für die Bernwardstüren könnte er Anregungen in Aachen, Mainz oder gar Mailand gefunden haben. Der Bau der großen Kirchen und Klöster in den ersten 500 Jahren der Stadtgeschichte wäre ohne einen regen Austausch von Wissen und Waren, aber auch ohne einen angenehmen Ort zu leben und zu arbeiten nicht möglich gewesen.

Von der Verkehrsgunst profitiert Hildesheim noch heute. Als Wasserweg dient nun der Stichkanal des Mittellandkanals, die Bundesstraße 1 hat die Funktion des Hellwegs übernommen, auf der Nord-Süd-Trasse verläuft die Bundesautobahn A 7. Hinzugekommen sind der Bahnknotenpunkt und der Flugplatz. Aus den rund 5000 Einwohnern zu Zeiten der Bischöfe Bernward und Godehard sind inzwischen rund 100 000 geworden, aber schon damals war Hildesheim ein „Oberzentrum", sogar mit größerer Bedeutung und Reichweite als heute. Auch ohne direkten Zugang zum Kaiser (wie ihn Bernward um 990 oder Bürgermeister Wildefüer 1528 hatten) und ohne fürstbischöfliche Residenz (die von 1235 bis 1803 bestand) strahlt Hildesheim als Wirtschafts- und Handelszentrum, als Stadt der Schulen und Hochschulen, als geistliches Zentrum der römisch-katholischen, serbisch-orthodoxen und evangelischen Kirche und als Sitz von staatlichen Verwaltungen und Gerichten weit über die Grenzen des Landkreises Hildesheim hinaus. Dafür sorgen ganz besonders die kulturellen Glanzlichter: die beiden Weltkulturerbestätten St. Michaelis und Mariendom, das Roemer- und Pelizaeus-Museum mit seinen ägyptischen und ethnologischen Sammlungen von Weltrang, die älteste noch erscheinende Tageszeitung Deutschlands, das Theater für Niedersachsen und die lebendige, innovative freie Theater- und Musikszene mit ihren international besetzten Festivals. Dank der über 10 000 Studierenden der Universität und der Hochschule für angewandte Wissenschaft und Kunst (HAWK) ist Hildesheim wirklich eine junge Großstadt mit alter Geschichte.

Die Hildesheimer leben im „Potte", aber sie können auch über den Tellerrand hinausblicken. Das taten zum Beispiel Friedrich Konrad Hornemann, der um 1800 Nordafrika erforschte, Wilhelm Pelizaeus, der vor und nach 1900 in Kairo als Kaufmann und Bankier erfolgreich war oder Ernst Ohlmer, der im gleichen Zeitraum als Seezolldirektor in Tsingtau Dienst tat. Von ihren Berichten und Schenkungen an die Daheimgebliebenen profitiert die Stadt noch heute. Sie weiteten den Horizont der „Pöttjer", die so heißen, weil sie in dem von Bergen umsäumten Taltrichter der Innerste wohnen. Aber sie essen auch gern aus dem „Pott", jedenfalls die wirklich Einheimischen, die man daran erkennt, dass sie darin Braunkohl mit Bregenwurst kochen und keinesfalls Grünkohl und schon gar nicht Pinkel.

Für Hildesheim lohnt es, sich Zeit zu nehmen. Es ist eine Stadt, bei der man sich nicht auf den ersten Blick verlassen sollte. Um das Liebens- und Lebenswerte zu entdecken, bedarf es fast immer eines zweiten oder eines dritten Blickes. Wer die Zeit dafür nicht hat, sollte bald wiederkommen.

The City of Hildesheim

Hildesheim: "Hilda's home?" Sometime during the 16th century, a clergyman from Hannover published the speculation that "Hildesheim" referred to Hildegard, the wife of Charlemagne. The name, however, probably dates back to even earlier days. The diocese of Hildesheim was established in 815 by Hildegard's son Louis the Pious. Even at that point in time, though, a place called Hiltwinesheim must have existed, in which case it wouldn't have been the Empress Hildegard but Hiltwin, a villager, who inspired the town's official name. The old Hiltwinesheim still exists in Hildesheim, at least in the meager form of a single street name in a district north of the railroad.

As early as the Bronze Age, humans settled on the edges of the North German Plain. During the establishment of the Hildesheim neighborhoods Einum, Achtum, and Itzum, remnants of linear pottery dating back to 7500 years earlier were found. In medieval times, an east-west trade route, called the Hellweg, zigzagged along the mountain range and crossed the Innerste River at a ford in the valley.

The Hellweg was crossed by a long distance, longitudinal trade route leading from the North Sea to the Sudetenland and to the edge of the Alps. Fords and trail junctions have always naturally attracted concentrated settlement because of their promise of work, trade and both personal and commercial exchange. Hildesheim's medieval architectural and art history testifies eloquently to this phenomenon.

Around the year 1000, Bishop Bernward fashioned his so-called "Christ's Column" with the Roman Trajan's Column in mind. His monumental brass doors probably drew inspiration from similar constructions in Aachen, Mainz, or even Milan.

The construction of the large churches and monasteries during the first 500 years of Hildesheim's existence would not have come about if it hadn't been for the region's unique atmosphere of interchange in knowledge and commodities or for the degree of comfort Hildesheim offered as both a living and working place.

Hildesheim still profits today from its accessible, convenient location. A branch of the Mittelland Canal serves as the city's main waterway. Bundesstraße1 has assumed the function of the Hellweg, and the Bundesautobahn A7 runs where the long distance north-south trading route used to be. The rail junction and airport have added to the fluidity of traffic in and out of Hildesheim. The 5000 Hildesheim inhabitants in the time of the Bishops Bernward and Godehard have multiplied today into nearly 100 000. Even back then, though, the city acted as a regional center, perhaps with an even more extensive influence than it has today. Today there's no equivalent to Hildesheim's former direct access to the emperor, as Bernward had had in 990 or Mayor Wildefüer in 1528, or to its former identity (between 1235 and 1803) as the home and administrative base of the Fürstbischof ("prince-bishop"). Nevertheless, Hildesheim still shines as an economic and commercial hub. It is a city of schools and colleges, a religious center for many Roman Catholics, Serbian Orthodox, and Lutherans, and a governmental and judicial site with influence reaching far over the borders of the Hildesheim administrative district. Hildesheim's strong cultural magnetism is ensured by particular highlights: the World Cultural Heritage sites St. Michaelis and the Mariendom, the Roemer and Pelizaeus Museum with its world-class collection of Egyptian artifacts, the oldest still-published

daily newspaper in Germany, the Theater of Lower Saxony, and the lively, innovative free theater and music scene with its international festivals. Also, thanks to the ten thousand students enrolled in both the university and the Hochschule für angewandte Wissenschaft und Kunst (HAWK), Hildesheim can be considered a young city with an old history.

It is said that Hildesheimers live as if in a "Potte", or pot, because of the city's location in the funnel of the mountainous Innerste River Valley. Citizens, however, can also look beyond the edges of this microcosm. That is what, among others, Friedrich Konrad Hornemann, explorer of Northern Africa around 1800, or Wilhelm Pelizaeus, salesman and banker in Cairo around 1900, or Ernst Ohlmer, who acted during the same time period as the director of sea tariffs in Tsingtau, all did. The city still profits from the correspondence these heroes had with their loved ones at home in Hildesheim and from the treasures they brought back from their exotic adventures. Hornemann, Pelizaeus and Ohlmer were some of many who broadened the horizon of the "Pöttjers", as they are referred to.

Nevertheless, the increasingly open minded Hildesheimers still eat gladly out of the "Potte" in which they live, so to speak. Real natives cook kale with Bregenwurst (brain sausage) and avoid the specialties of surrounding regions (green cabbage or Pinkel, a smoked sausage, for example) like the plague. It's worth it to take time to get to know Hildesheim. It is a city that should not be judged at first glance; the discovery of Hildesheim's most lovable and livable features usually requires a second or third glimpse. Anyone who doesn't have time for that should come again soon.

Portrait de la ville

○

Le nom Hildesheim pourrait-il signifier pays d'Hilde? («Hildes Heim?»). C'est ce que supposait un homme d'église hanovrien du XVIᵉ siècle, pensant que le nom d'«Hildesheim» remontait à Hildegard, l'épouse de Charlemagne. En vérité, il est beaucoup plus ancien. C'est bien Louis le Pieux, le fils d'Hildegard, qui a fondé l'évêché d'Hildesheim en 815, mais une localité du nom d'Hiltwinesheim existait probablement bien avant. Hildesheim n'aurait donc pas été placée sous la protection de l'impératrice Hildegard, mais sous celle d'Hiltwin. Le nom de cet habitant de l'ancien village figure encore aujourd'hui dans la ville, comme nom d'une rue au nord de la ligne de chemin de fer.

Dès l'âge de bronze, des peuplades se sont installées au bord de la plaine basse d'Allemagne du Nord. Les travaux de viabilisation des lotissements d'Einum, d'Achtum et d'Itzum ont mis à jour les dépouilles mortuaires de représentants de la culture rubanée, qui vécurent là il y a environ 7500 ans. D'ouest en est, le Hellweg, une route commerciale, longeait les chaînes de collines, empruntant le gué d'Innerstetal pour traverser le fleuve. Une autre route commerciale le croisait en direction nordsud, allant de la mer du Nord au pays des Sudètes ou au pied des Alpes. Les gués et les carrefours sont des cellules naturelles de peuplement prometteuses de travail, d'échange de marchandises et de rencontres intéressantes. L'histoire médiévale de l'architecture et de l'art d'Hildesheim en témoignent avec éloquence. Vers l'an 1000, pour la réalisation de sa colonne du Christ, l'évêque Bernward s'inspira de la colonne Trajane romaine. C'est à Aix-la-Chapelle, Màyence, voire même à Milan qu'il aurait pu trouver les idées pour réaliser ses portes éponymes. Dans les 500 premières années de l'histoire de la ville, les grandes églises et les monastères n'auraient pas pu être construits sans cet échange intense de savoir et de marchandises, mais sans l'existence d'un lieu agréable où vivre et travailler, ces constructions n'auraient également pas pu être réalisées.

Cette situation bien desservie profite aujourd'hui encore à Hildesheim. Désormais, le Mittellandkanal, un canal de jonction transversale, sert de voie d'eau. La route nationale 1 a repris la fonction du Hellweg et l'autoroute fédérale A 7 suit le tracé nordsud. Un nœud ferroviaire et un aérodrome sont venus s'y ajouter. A l'époque des évêques Bernward et Gothard, Hildesheim était déjà une «métropole régionale», dont l'influence et le rayon d'action étaient plus importants qu'aujourd'hui. Elle comptait alors environ 5000 habitants, entre temps, ils sont passés à plus de 100 000. De nos jours, même sans contact direct avec un empereur (tel qu'en jouissait Bernward vers 900 ou le maire Wildefüer en 1528) et sans le statut de principauté épiscopale (de 1235 à 1805), Hildesheim rayonne bien au-delà des frontières de sa circonscription administrative. C'est un centre économique et commercial, une ville d'écoles et d'établissements d'enseignements supérieurs, un centre spirituel de l'église romaine-catholique, orthodoxe serbe et protestante et le siège d'administrations publiques et de tribunaux. Des fleurons de la culture assurent sa renommée: l'église Saint Michel et la cathédrale Sainte Marie, deux sites du patrimoine mondial, le musée Roemer-Pelizaeus avec ses collections égyptiennes et ethnologiques de rang mondial, le plus grand journal quotidien d'Allemagne encore édité, le théâtre de Basse-Saxe et la scène autonome de théâtre et de musique, vivante et innovante et son festival international. Plus de 10 000 étudiants de l'université et de la haute école de sciences et d'arts appliqués (Hochschule für angewandte Wissenschaft und Kunst [HAWK]) font véritablement d'Hildesheim une jeune grande ville à l'histoire ancienne.

Les habitants d'Hildesheim vivent dans le «pot», mais ils regardent plus loin que le bout de leur nez, comme le prouvent par exemple Friedrich Konrad Hornemann, explorateur en Afrique du Nord vers 1800, Wilhelm Pelizaeus, commerçant et banquier couronné de succès au Caire avant et après 1900 ou Ernst Ohlmer, en service à Qingdao au même moment, en tant que directeur de l'octroi maritime. La ville profite encore aujourd'hui des récits et des dons faits à ceux qui étaient restés au pays. Ils ont élargi l'horizon des «Pöttjer» («ceux du pot»), qui se désignent ainsi parce qu'ils habitent dans la cuvette de l'Innerste entourée de collines. Mais ils mangent aussi volontiers dans le «pot», en tous cas les vrais gens du pays qui cuisinent du chou frisé avec de la saucisse Bregenwurst – jamais de chou vert et surtout pas de Pinkel (une saucisse fumée à base de gruau, typique des régions du nord de l'Allemagne.)

Hildesheim vaut la peine qu'on prenne le temps de la découvrir. Il ne faut pas se fier à la première impression. Une deuxième, voire une troisième visite est presque toujours nécessaire pour découvrir les éléments qui en font une ville sympathique où l'on vit bien. Faute de temps, il faut absolument revenir.

Der historische Marktplatz

Die „gute Stube" der Stadt ist seit 1268 das Zentrum des geschäftlichen und gesellschaftlichen Lebens. Davon zeugen heute noch die Sparkasse, das Verlagshaus Gerstenberg, das Hotel Van der Valk und die Gastronomie, die ihre Geschäfte in rekonstruierten Gilde-, Handels- und Patrizierhäusern der frühen Neuzeit betreiben. Auf dem 1945 vollständig zerstörten und von 1985 bis 1990 wiederhergestellten Marktplatz finden mittwochs und samstags Wochenmärkte statt sowie jahreszeitliche Veranstaltungen wie der stimmungsvolle Weihnachtsmarkt. In den Sommermonaten lädt er zu Serenaden ein.

The "living room" of the city has acted as the center of commercial and social life in Hildesheim since 1268. The town bank, the Gerstenberg publishing house, the Van der Valk Hotel, and various restaurants, all of which conduct their affairs in reconstructed guildhalls, trading houses, and patrician houses from the early modern period, have long witnessed this activity and charm. Fully destroyed in 1945 and rebuilt between 1985 and 1990, the square hosts weekly markets on Wednesdays and Saturdays and annual seasonal events such as the festive Christmas market. In the summer months, evening serenades allure many a passer-by.

Depuis 1268, la « gute Stube », le « salon » de la ville constitue le centre de la vie commerciale et sociale. La caisse d'épargne, la maison d'édition Gerstenberg, l'hôtel Van der Valk et les établissements gastronomiques établis dans les maisons reconstruites des guildes, des marchands et des patriciens du début de l'époque moderne en témoignent. La place totalement détruite en 1945, restaurée de 1985 à 1990, accueille des marchés le mercredi et le samedi ainsi que de nombreuses manifestations saisonnières comme le très pittoresque marché de Noël. En été, on y joue des sérénades.

Rathaus

Der älteste Teil des Gebäudes stammt aus der Entstehungszeit 1268 bis 1290, so dass das Rathaus eines der ältesten Deutschlands ist. 1883 bis 1892 wurde es im neugotischen Stil ergänzt, an den der Wiederaufbau (1950–1954) bei der Rekonstruktion der Fassade anknüpfte. Kurz vor der Aufgabe ihres Rathauses am „Alten Markt" erhielten die Hildesheimer von Bischof Heinrich I. 1249 das Stadtrechtsprivileg. Seitdem hieß es „Stadtluft macht frei." Ein gastronomisch genutzter Ratskeller wird erstmals 1379 erwähnt. Mittags um 12 stößt am Giebel ein Bläser dreimal in seine Fanfare. Das Glockenspiel intoniert mehrmals täglich volkstümliche Melodien.

The oldest section of the Rathaus building hails from the years between 1268 and 1290, making the structure one of Germany's oldest town halls. From 1883 to 1892 it was refurbished in neo-Gothic style. The reconstruction and restoration of the facade, done between 1950 and 1954, prioritized and built upon these neo-Gothic expressions. Hildesheimers left their town hall on the "old market square" in 1249, shortly after receiving the town privilege from Bishop Henry I. Since then this center of municipal life is best known as "Stadtluft macht frei" ("city air makes you free"). In 1379, a restaurant was opened in the basement. Everyday at noon, a sculpted trumpeter along the gable delivers his proud fanfare, and a Glockenspiel plays folksy melodies intermittently from dawn to dusk.

La partie la plus ancienne du bâtiment remonte à sa construction de 1268 à 1290, ce qui fait de cet l'hôtel de ville un des plus anciens d'Allemagne. De 1883 à 1892, il fut complété en style néogothique, style sur lequel s'est orientée la reconstruction (1950–1954) de la façade. En 1249, juste avant que les habitants d'Hildesheim renoncent à leur hôtel de ville sur le «vieux marché», l'évêque Heinrich I. leur remit le privilège du droit de la ville. Depuis on dit que «l'air urbain libère». La cave, utilisée à des fins gastronomiques, fut évoquée pour la première fois en 1379. A midi, sur les coups de 12 heures, un souffleur sonne trois coups de fanfare sur le fronton. Plusieurs fois par jour, le carillon entonne des mélodies populaires.

Tempelhaus

Zwischen 1476 und 1489 erwarb die Familie Harlessem das im 14. Jahrhundert am Markt errichtete Gebäude, dem Roleff von Harlessem später die Renaissance-Auslucht hinzufügte. Er starb 1587, sein Sohn David brachte das Werk 1591 zum Abschluss. Die wohlhabende und einflussreiche Gewandschneiderfamilie stellte vom 15. bis 18. Jahrhundert etliche Ratsherren und Bürgermeister. Später gab der Volksmund dem orientalisch anmutenden Gebäude den irreführenden aber reizvollen Namen „Tempelhaus". Der Verlag Gebrüder Gerstenberg, in dem die älteste Tageszeitung Deutschlands (gegründet 1705) erscheint, restaurierte das 1945 ausgebrannte Haus. Es beherbergt die „tourist-information" und die Stadtbibliothek.

This building, erected in the Marktplatz during the 14th Century, was subsequently acquired by the family Harlessem between 1476 and 1489. Roleff of Harlessem began the construction of a Renaissance castellated manor next to the original building. Roleff died in 1587 and his own son David brought the work to completion in 1591. This affluent and influential dressmaker family appointed many city councilmen and mayors between the 15th and 18th centuries. Later, the building acquired the misleading but charming nickname "Temple House" because of its 'eastern' aesthetic. The Gerstenberg publishing house, producer since 1705 of what is now the oldest daily newspaper in Germany, restored the Tempelhaus after it was burned in 1945. Today the building hosts the city's tourist information center and the public library.

Entre 1476 et 1489, la famille Harlessem acquit le bâtiment érigé au XIVᵉ siècle sur la place du marché. Roleff von Harlessem y ajouta un encorbellement Renaissance. Après sa mort en 1587, son fils David acheva l'ouvrage en 1591. Entre le XVᵉ et le XVIIIᵉ siècle, cette famille aisée et influente de tailleurs a fourni à la ville bon nombre de conseillers municipaux et de maires. Dans la langue populaire, le bâtiment à l'aspect oriental obtint plus tard le nom trompeur mais charmant de «Maison du Temple». La maison d'édition des frères Gerstenberg qui édite le plus vieux quotidien de toute l'Allemagne (fondé en 1705), a restauré l'édifice entièrement brûlé en 1945. Il abrite l'office du tourisme et la bibliothèque municipale.

Wedekindhaus

1598 ließen der Tuchhändler und Ratsherr Hans Storre und seine Ehefrau Margarete Bex das prächtige dreigiebelige fünfgeschossige Fachwerkhaus mit seinen zwei parallelen Ausluchten und den allegorischen Schnitzereien erbauen. Der Namensgeber Friedrich Wedekind erwarb es erst 1819. Knapp 80 Jahre später übernahm es die Stadt für ihre Sparkasse, die es zusammen mit seinen Nachbargebäuden (Lüntzel- und Rolandhaus) nach der Zerstörung 1945 durch einen modernen Bau ersetzen ließ. Als seine Erweiterung anstand, setzte eine Bürgerinitiative 1983 durch, dass der Neubau die „historische" Fassade zurückerhält. Hinter ihr befindet sich die Hauptstelle der Sparkasse Hildesheim.

In 1598, the fabric trader and town politician Hans Storre and his wife Margarete Bex called for the construction of this gorgeous, triple gabled, five-story factory with its two parallel bow windows and allegorical carvings. Friedrich Wedekind, who became the building's namesake, purchased it in 1819. Eighty years later the city took it over and housed its savings bank there. Together with its neighboring buildings (the Lüntzelhaus and Rolandhaus), the Wedekindhaus was given a modern restoration after the destruction caused in 1945. Once the renovations were completed, a citizens' initiative succeeded in convincing the city to give the house its 'historical' façade back. Today, the headquarters of the Sparkasse Hildesheim finds its home in this ornate landmark.

En 1598, le drapier et conseiller municipal Hans Storre et son épouse Margarete Bex firent construire cette somptueuse maison à colombages. Elle présente trois frontons et cinq étages avec deux encorbellements parallèles et des sculptures allégoriques en bois. Friedrich Wedekind qui lui donna son nom, ne l'acquit qu'en 1819. A peine 80 ans plus tard, la ville la récupéra pour y installer sa caisse d'épargne. Après la destruction de 1945, la ville la remplaça par un bâtiment moderne en même temps que les bâtiments voisins (Maison Lüntzel et Maison Roland). En 1983, lorsqu'il fut question d'agrandir le bâtiment, un comité de défense imposa la restitution de la façade « historique » sur le nouveau bâtiment, derrière laquelle se trouve la centrale de la Caisse d'Épargne d'Hildesheim.

Knochenhauer-Amtshaus

Heute sind die Hildesheimer stolz auf ihr „schönstes Fachwerkhaus der Welt". 1529 hatten die reichen Knochenhauer ihr Gilde-, Lager- und Verkaufshaus dem Rathaus gegenübergestellt, das es mit seinen 26 Metern Höhe machtvoll überragte. Nach einem Brand 1884 ließ es die Stadt rekonstruieren. Nach der vollständigen Zerstörung am 22. März 1945 schien es unwiederbringlich verloren: im März 1953 stimmten fast zwei Drittel der Hildesheimer für einen großen Marktplatz (den es bis 1985 auch gab) und gegen den Wiederaufbau des Knochenhauer-Amtshauses. 1963 entstand an seiner Stelle das Hotel „Rose", bis zu seinem Abriss 1986 das „erste Haus am Platz". Eine Bürgerinitiative setzte in zähem Ringen nach der „historischen Fassade" der Sparkasse auch die Wiederherstellung des „historischen Marktplatzes" durch. 1989 eröffnete die Gastronomie im Knochenhauer-Amtshaus und im benachbarten Bäckeramtshaus, 1990 das Stadtmuseum.

Today, Hildesheimers are very proud of what they consider "the most beautiful half-timbered house in the world." In 1529, the rich Knochenhauer family built their 26-meter guild, storage, and sales house across from the Rathaus. After a fire in 1884, the city reconstructed it from head to toe. On March 22nd, however, 1945, the Knochenhauer-Amtshaus was severely damaged. For decades after, it appeared the building had been irretrievably lost: in March of 1953, two thirds of Hildesheim's citizens voted in favor of a larger Marktplatz (which then existed until 1985) and against the reconstruction of the Knochenhauer-Amtshaus. In 1963, the Rose Hotel took the place of the Knochenhauer-Amtshaus and existed there until its demolition in 1986. After the decision to reproduce the Wedekindhaus's historical façade, however, a city-wide initiative succeeded in its tough battle to fully reconstruct the historical Marktplatz (including the Knochenhauer-Amtshaus) as it had appeared before 1945. In 1989, restaurants opened in the reincarnated Knochenhauer-Amtshaus and in the neighboring Bäckeramtshaus, and in 1990 the local history museum.

Aujourd'hui, les habitants d'Hildesheim sont fiers de détenir la « plus belle maison à colombage du monde ». Les riches bouchers avaient bâti la maison de leur guilde en 1529. Elle était destinée aux stocks et à la vente, du haut de ses 26 mètres, elle surplombait fièrement l'hôtel de ville en face duquel elle était située. Après sa destruction totale le 22 mars 1945, elle semblait irréparablement perdue : en mars 1953, pratiquement deux tiers des habitants d'Hildesheim votèrent en faveur d'une grande place du marché (effectivement réalisée d'ici 1985) et contre la reconstruction de la Maison de la Corporation des Bouchers. « L'Hôtel Rose » fut construit à son emplacement en 1963. Jusqu'à sa démolition en 1986 c'était le meilleur hôtel de la ville. À l'issue d'une âpre lutte, après « la façade historique » de la Caisse d'Épargne, un comité de défense avait réussi à imposer la reconstitution de la « place du marché historique » ! En 1989, un restaurant a ouvert ses portes dans la Maison de la Corporation des Bouchers et dans la Maison voisine de la Corporation des Boulangers. La section d'histoire urbaine du Musée Roemer-Pelizaeus s'est installée dans la Maison de la Corporation des Bouchers en 1990.

Hotel Van der Valk

An der Nordseite begrenzten die Stadtschänke (1666), das Rokokohaus (1757)
und das Wollenwebergildehaus (16. Jh.)
den historischen Marktplatz. Seit 1988 befindet sich hinter ihren rekonstruierten Fas-
saden ein 4-Sterne-Hotel, aktuell das Van
der Valk. Vorher begann hier die Markt-
platzerweiterung, die bis zur Bebauung an
der Jakobistraße reichte, in der das Sozial-
amt untergebracht war.

The north side of the Marktplatz is compo-
sed of the Stadtschänke (built in 1666), the
Rococo House (built in 1757), and the Wollenwebergildehaus (built in the 16th century). Since 1988, a four-star hotel, today the
Van der Valk, has operated behind these
three reconstructed façades. The expansion of the Marktplatz after World War II
began with this north side and spread to
the former social welfare office on Jakobistraße.

La « Stadtschänke », la brasserie de la ville
(1666), la « Rokokohaus », la maison rococo (1757) et la « Wollenwebergildehaus »,
la maison de la guilde des tisserands de
laine (XVIe siècle) bordent le côté nord
de la place du marché historique. Depuis
1988, ses façades abritent un hôtel 4 étoi-
les. Il s'agit actuellement de l'hôtel Van der
Valk. Jusqu'à la construction de l'hôtel,
c'est à cet endroit que commençait autrefois l'élargissement de la place du marché,
rejoignant les bâtiments de la rue Jakobi,
dans laquelle se trouvait le bureau des affaires sociales.

Marktbrunnen

Seit 1402 ist auf dem Marktplatz ein Brunnen bezeugt. In seiner heutigen achteckigen Stockbrunnen-Form baute ihn der Hildesheimer Bildhauer Henni Warnecke 1540. Nach der kriegsbedingten Beschädigung wurde er 1952 erneuert und 1986 restauriert. Das Bildprogramm zeigt zwölf „gute Helden" des Alten Testaments. Die Figur über den Wasserspeiern galt lange als Roland, was den häufig verwendeten Namen „Rolandbrunnen" erklärt. Tatsächlich handelt es sich um einen Stadtsoldaten, der auf dem Markt und in der Stadt für Recht und Ordnung sorgen soll.

Since 1402, a fountain in the center of the Marktplatz has borne witness to centuries of history. It was built in its present octagonal, layered form in 1540 by the Hildesheim sculptor Henni Warnecke. In 1952, after war damage, it was repaired, and in 1986 fully restored. The iconography features twelve "good heroes" from the Old Testament. The figure above the water spitters was long believed to be Roland, which explains the monument's widespread nickname "Roland fountain." In fact, however, the figure depicts a soldier responsible for protecting justice and order in the square and in the city at large.

Depuis 1402, la présence d'une fontaine est attestée sur la Place du Marché. Henni Warnecke, un sculpteur d'Hildesheim, l'a réalisée en 1540 dans sa forme octogonale actuelle. Après les ravages de la guerre, elle fut rénovée en 1952 et restaurée en 1986. Les personnages représentent «douze bons héros» de l'Ancien Testament. Le personnage au-dessus des gouttières a longtemps été pris pour Roland, d'où le nom de fontaine de Roland qui lui est souvent attribué. En réalité, il s'agit d'un soldat de la ville, chargé de veiller au droit et à l'ordre sur le marché et dans la ville.

Wochenmarkt

Mittwochs und samstags herrscht auf dem Platz vor dem Rathaus (und auch auf dem Neustädter Markt) ein buntes Treiben. Seit alters her bieten Händler und Erzeuger aus dem Umland den Städtern auf dem Wochenmarkt ihre Produkte an. Auch im Zeitalter des Internethandels und der Supermärkte schwören viele Hildesheimer darauf, bei „ihrem" Schlachter, Bäcker, Käse-, Obst- und Gemüse- oder Blumenhändler die frischesten und besten Waren zu bekommen.

On Wednesdays and Saturdays, both the central Marktplatz and the Neustädter Markt are swept up in colorful activity. For centuries, farmers and merchants have traveled from the surrounding areas to sell their products to the city dwellers. Even today in the age of internet commerce and supermarket monopoly, Hildesheimers swear by the quality and freshness of "their very own" bakers, butchers, florists, and cheese, fruit, and vegetable suppliers.

Le mercredi et le samedi l'animation règne sur la place située devant l'hôtel de ville (tout comme sur le marché Neustädter Markt). De tous temps, les marchands et les producteurs des environs ont proposé leurs produits aux citadins sur le marché hebdomadaire. Même à l'époque du commerce électronique et des supermarchés, les habitants d'Hildesheim ne jurent que par «leur» boucher, «leur» boulanger, «leur» crémier, «leur» marchand de fruits et de légumes ou de fleurs qui leur fournissent les marchandises les meilleures et les plus fraîches.

Die „Stadt der Kirchen"

Beim Blick vom Berghölzchen aus überragen die Kirchtürme alles andere im Hildesheimer Stadtbild. In der Alt- und Neustadt stehen die mittelalterlichen und frühneuzeitlichen Kirchen. In den anderen Stadtteilen entstanden im 19. und 20. Jahrhundert weitere – eine Folge des starken Bevölkerungswachstums nach 1871. Der Legende nach war das erste Gebäude in Hildesheim eine Kapelle: Ludwig der Fromme ließ sie 815 auf dem späteren Domhügel errichten. Als 1542 die Reformation auch in Hildesheim einzog, schlossen sich etwa zwei Drittel der Hildesheimer der Lehre Luthers an, ein Drittel blieb römisch-katholisch. Heute gehört nur noch die Hälfte der Hildesheimer einer christlichen Kirche an. Der überwiegende Rest ist konfessionslos. Die größte religiöse Minderheit bekennt sich zum Islam.

Hildesheim ist der Sitz eines katholischen und eines serbisch-orthodoxen Bischofs sowie eines evangelischen Landessuperintendenten. Die muslimische Bevölkerung unterhält mehrere Moscheen. Die 1997 wiedererstandene Jüdische Gemeinde bezog 2009 ihre heutige Synagoge.

Viewed from the hills of Berghölzchen, church towers and steeples dominate the cityscape of Hildesheim. Most medieval and early modern churches can be found in the Altstadt and Neustadt. Since the steady growth in population after the year 1871, many other churches have emerged in the surrounding neighborhoods. Legend has it that the very first building in Hildesheim was a chapel erected by Louis the Pious in 815 on the hill that would later boast the city's cathedral. As a result of the Reformation in 1542, almost two thirds of the city's population adopted the teachings of Luther and a third remained Roman Catholic. Today only half of Hildesheim belongs to a Christian church. The overwhelming remainder is registered as undenominational. The largest religious minority is Islam.

Hildesheim is home to both Catholic and Serbian Orthodox bishops as well as to a Lutheran Landessuperintendenten. The Muslim population runs several mosques. The Jewish congregation, resurgenced in 1997, received its current synagogue in 2009.

Vu du haut du Berghölzchen, les clochers surplombent toute la ville d'Hildesheim. Les églises médiévales et celles du début de l'époque moderne sont situées dans la vieille ville et dans la Ville Nouvelle. Au XIXᵉ et au XXᵉ siècle, suite à l'importante croissance démographique après 1871, d'autres églises ont été construites dans d'autres quartiers. Selon la légende, le premier bâtiment d'Hildesheim fut une chapelle, construite par Louis le Pieux en 815 sur la future colline de la cathédrale. En 1542, la Réforme fit également son entrée à Hildesheim. Environ deux tiers des habitants d'Hildesheim se rallièrent à la doctrine de Luther, un tiers resta fidèle à la religion catholique romaine. Aujourd'hui seule la moitié des habitants d'Hildesheim sont encore membres d'une église chrétienne. La grande majorité des autres est sans confession. La plus grande minorité religieuse se déclare musulmane.

Hildesheim est le siège d'un évêque catholique, d'un évêque orthodoxe serbe et d'un superintendant régional protestant. La population musulmane dispose de plusieurs mosquées. En 2009, la communauté juive, reconstituée en 1997, s'est installée dans sa synagogue actuelle.

St. Andreas

Die Ursprünge der Kirche, die mit ihrem 114,35 Meter hohen Turm nicht nur alle Kirchtürme der Stadt, sondern auch ganz Niedersachsens überragt (und bis auf dreizehn auch alle in Deutschland), gehen auf das 9. Jahrhundert zurück. Aus der damaligen Kapelle wurde eine Kirche, in der 1038 der Leichnam Bischof Godehards aufgebahrt wurde. Im 12. Jahrhundert wurde sie als romanische Basilika neu erbaut. Von 1389 bis 1504 dauerte der Bau des gotischen Gotteshauses. Fünfhundert Jahre nach Baubeginn, 1887, wurde der Turm vollendet. Nach dem Wiederaufbau der 1945 zerstörten Kirche konnte sie 1965 eingeweiht werden.

The origins of this church, which with its 114.35 meter steeple looks down on not only all of the other steeples in the city but also on all others in Niedersachen (and, with the exception of thirteen, all others in Germany), date back to the ninth century. The building was originally a chapel and was turned later into a larger church. In 1038, the body of Bishop Godehard was buried there. In the 12th century, the existing structure was reconstructed in the style of a Roman basilica, and between 1389 and 1504 rebuilt in a gothic style. Five hundred years later, the steeple was finished. St. Andreas was re-inaugurated in 1965 after reconstruction following the devastation in 1945.

Le clocher de l'église, de 114,35 mètres de haut, ne domine pas seulement tous les clochers de la ville mais également tous ceux du land de Basse-Saxe (et mis à part treize autres, ceux de toute l'Allemagne). Les origines de l'église Saint-André remontent au IXᵉ siècle. L'ancienne chapelle où fut exposée la dépouille de l'évêque Gothard devint une église, réédifiée en basilique romaine au XIIᵉ siècle. L'édification de la maison gotique du seigneur dura de 1389 à 1504. Le clocher fut achevé en 1887, soit cinq cent ans après la mise en chantier de l'église. L'église fut détruite en 1945, puis consacrée en 1965, après sa reconstruction.

Bugenhagenbrunnen

Auf dem südlichen Teil des Andreaskirchplatzes erinnert seit 1995 ein siebeneinhalb Meter hoher Brunnen daran, dass ein Freund Martin Luthers, Johannes Bugenhagen, am 1. September 1542 in der Bürgerkirche St. Andreas zum ersten Mal im evangelischen Geist predigte und damit die Reformation in Hildesheim einführte. Den Bronze-Brunnen schuf Ulrich Henn, von dem in der Kirche im Altarraum die Abendmahlsgruppe, das Standkreuz und das Lesepult stammen sowie das Portal an der Westseite. Im Inneren der Säule des Brunnens stellen drei Plastiken Szenen des Neuen Testaments dar. Die drei Medaillons im Denkmalsfuß bilden die kirchlichen und christlichen Dienste Predigt, Taufe und Abendmahl sowie Diakonie ab.

In 1995, a 7.5 meter-tall fountain was built on the south side of the Andreaskirchplatz to serve as a reminder of Johannes Bugenhagen, a friend of Martin Luther's. Bugenhagen visited Hildesheim on September 1st, 1542 and preached at St. Andreas in the spirit of his friend's teachings. In doing so, he single-handedly introduced the Reformation in Hildesheim. The bronze fountain was designed by Ulrich Henn, the same sculptor whose representation of the Last Supper stands in the sanctuary of St. Andreas and who created the church's standing cross, lectern, and west portal. In the interior of the fountain's central column, three sculptures depict scenes from the New Testament. Accordingly three medallions at the base of the monument represent the Christian ministries of Homily, Baptism, Holy Communion, and Deaconship.

Depuis 1995, une fontaine de sept mètres et demi de haut se dresse sur la partie sud de la Place de l'Église Saint-André. Elle rappelle que le 1er septembre 1542, Johannes Bugenhagen, un ami de Martin Luther, y prononça son premier sermon dans l'esprit évangélique, introduisant ainsi la Réforme à Hildesheim. La fontaine en bronze, le groupe de la Sainte Cène du sanctuaire, la croix dressée, le pupitre à l'intérieur de l'église, tout comme le portail du côté ouest sont l'œuvre d'Ulrich Henn. À l'intérieur des colonnes de la fontaine, trois sculptures représentent des scènes du Nouveau Testament. Les trois médaillons au pied du monument représentent les trois services ecclésiastiques et chrétiens, le sermon, le baptême et la communion ainsi que le diaconat.

St. Michael

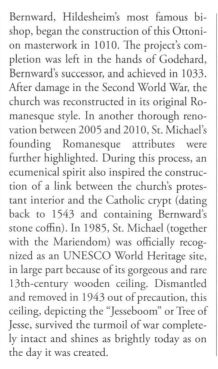

Hildesheims berühmtester Bischof, Bernward, begann 1010 mit dem Bau dieses Meisterwerks ottonischer Baukunst. Den Abschluss 1033 musste er seinem Nachfolger Godehard überlassen. Die im Zweiten Weltkrieg zerstörte Kirche wurde in ihrer ursprünglichen Form als romanische Gottesburg rekonstruiert, deren grundlegende Sanierung 2005 bis 2010 die historischen Elemente noch deutlicher herausarbeitete. Dabei wurden im ökumenischen Geist die 1543 katholisch gebliebene Krypta mit dem Steinsarg Bernwards und der protestantische Kirchenraum verbunden. 1985 erfolgte die Aufnahme in das UNESCO-Weltkulturerbe (zusammen mit dem Mariendom), insbesondere wegen der prächtigen Holzdecke aus dem frühen 13. Jahrhundert. 1943 ausgebaut und ausgelagert, überstand der dargestellte „Jesseboom", der Stammbaum Jesu, die Kriegswirren und leuchtet heute frisch wie am ersten Tag.

Bernward, Hildesheim's most famous bishop, began the construction of this Ottonion masterwork in 1010. The project's completion was left in the hands of Godehard, Bernward's successor, and achieved in 1033. After damage in the Second World War, the church was reconstructed in its original Romanesque style. In another thorough renovation between 2005 and 2010, St. Michael's founding Romanesque attributes were further highlighted. During this process, an ecumenical spirit also inspired the construction of a link between the church's protestant interior and the Catholic crypt (dating back to 1543 and containing Bernward's stone coffin). In 1985, St. Michael (together with the Mariendom) was officially recognized as an UNESCO World Heritage site, in large part because of its gorgeous and rare 13th-century wooden ceiling. Dismantled and removed in 1943 out of precaution, this ceiling, depicting the "Jesseboom" or Tree of Jesse, survived the turmoil of war completely intact and shines as brightly today as on the day it was created.

Bernward, l'évêque le plus célèbre d'Hildesheim, a commencé la construction de cette œuvre d'art d'architecture ottonienne en 1010. Son successeur Gothard l'a achevée en 1033. L'église détruite pendant la Seconde Guerre mondiale a été restituée dans sa forme d'origine de forteresse romane de Dieu. Sa restauration radicale de 2005 à 2010 a fait encore plus clairement ressortir ses éléments historiques. Dans un esprit œcuménique, on a associé la crypte restée catholique en 1543, qui contenait le cercueil en pierre de Bernward à l'intérieur protestant de l'église. En 1985, l'église Saint-Michel a intégré le patrimoine mondial de l'UNESCO (avec la cathédrale Sainte-Marie), en particulier à cause de son magnifique plafond en bois datant du début du XIIIᵉ siècle. Le « Jesseboom », l'arbre généalogique de Jésus, démonté et évacué en 1943, a survécu aux troubles de la guerre. Aujourd'hui, il rayonne de fraîcheur comme au premier jour.

Mariendom

Das geistliche Zentrum des Bistums Hildesheim ist der Domhof mit dem Dom St. Mariä Himmelfahrt. Beim Wiederaufbau des 1945 ausgebrannten Gebäudes orientierte man sich an dem von Bischof Hezilo 1061 eingeweihten Dom. Der Vorgängerbau Bischof Altfrieds aus dem 9. Jahrhundert war 1013 und 1046 durch Brände schwer beschädigt worden. Er hatte die Marienkapelle ersetzt, die Ludwig der Fromme 815 errichten ließ und Bischof Gunthar einweihte. Das Datum markiert den Zeitpunkt der Stadtgründung. Bei der Sanierung 2010 bis 2014 stießen Archäologen auf ihre Fundamente sowie auf weitere karolingische Überreste. Wegen der Zeugnisse bernwardinischer Kunstfertigkeit steht der Dom seit 1985 in der UNESCO-Liste des Kulturerbes der Menschheit: die aus zwei bebilderten Flügeln bestehende Bernwardstür – jeder in einem Guss aus Bronze gefertigt – und die Christussäule mit Bildern aus dem Leben Jesu. Zwei der vier überhaupt noch vorhandenen mittelalterlichen Radleuchter, der von Bischof Thietmar (um 1040, irrtümlich Azelinleuchter genannt) und der doppelt so große von Bischof Hezilo (um 1060), das Bronze-Taufbecken (um 1225) sowie der goldene Epiphanius-Schrein (12. Jh.) gehören zu den weiteren kulturgeschichtlichen Glanzlichtern. Der prächtige Domschatz mit dem Gründungsreliquiar, dem weltberühmten Bernwardskreuz und zahlreichen weiteren, überwiegend mittelalterlichen Kultgegenständen wird ab 2014 im vergrößerten Dom-Museum ausgestellt.

The Mariendom acts as the spiritual center of the Hildesheim diocese. The reconstruction of the fire-gutted cathedral after 1945 sought to copy the original version, inaugurated by Bishop Hezilo in 1061. Its predecessor building, occupied by Bishop Altfrieds in the 9th century, was severely damaged by fires between 1013 and 1046. This building was designed by Louis the Pious in 815, the year of Hildesheim's establishment, to replace the Marienkapelle on the hill and was inaugurated by Bishop Gunthar. Over the course of renovations which started in 2010 (and will continue until 2014), archaeologists have uncovered the church's foundations and come across many Carolingian artifacts. Because of its myriad of testimonials to the virtuosic artisanship from the period of Bernward, the Dom was distinguished in 1985 as an UNESCO World Heritage cultural site

along with its neighbor St. Michael. Some highlights of this artisanship are the two leaved, bronze-cast "Bernward's Door" and the "Christ's Column" with carvings depicting the life of Jesus. Two of the four existing medieval chandeliers in the world also have their home at the Mariendom. One was constructed during the time of Bishop Thietmar in 1040 (and erroneously referred to as the Azelin chandelier), and the doubly large second in 1060 during the time of Bishop Hezilo. A bronze baptismal font from 1225 and golden "Epiphany shrine" from the 12th century belong among the art-historical highlights of the Mariendom. The resplendent Cathedral treasure consisting of a jewel-studded reliquary, the world-famous "Bernward's Cross," and numerous other, primarily medieval, cult objects, will be exhibited in the expanded Dom Museum in 2014.

La cour de la cathédrale avec la cathédrale Sainte-Marie de l'Ascension constitue le centre spirituel de l'évêché d'Hildesheim. La reconstruction du bâtiment incendié en 1945 s'est orientée sur celle de la cathédrale, consacrée par l'évêque Hezilo en 1061. Les incendies de 1013 et de 1046 ayant gravement endommagé l'édifice précédent de l'évêque Altfried datant du IXe siècle, celui-ci avait remplacé la chapelle Sainte-Marie construite par Louis le Pieux en 815 et consacrée par l'évêque Gunthar. L'année 815 marque la date de la fondation de la ville. Pendant la restauration de la cathédrale entre 2010 et 2014, les archéologues ont découvert les fondations de la chapelle et d'autres vestiges carolingiens. Depuis 1985, la cathédrale figure sur la liste du patrimoine mondial de l'humanité de l'UNESCO en raison des témoignages de l'art de Bernward, comportant le portail à deux ailes illustrées – chacune réalisée en bronze en une seule fonte – et la colonne du Christ qui représente des scènes de la vie de Jésus. Deux des lustres en couronne médiévaux encore existants, celui de l'évêque Thietmar (vers 1040), désigné à tors comme lustre Azelin et le lustre deux fois plus grand de l'évêque Hezilo (vers 1060), les fonts baptismaux en bronze (vers 1225) et le reliquaire de l'Épiphanie (XIIe siècle) figurent parmi les autres fleurons de l'histoire culturelle. À partir de 2013, le somptueux trésor de la cathédrale qui contient le reliquaire de la fondation, la croix de Bernward, mondialement célèbre et beaucoup d'autres objets de culte, pour la plupart médiévaux, sera exposé dans le musée de la cathédrale qui a été agrandi.

Tausendjähriger Rosenstock

Solange die Rose blüht, so lange blüht die Stadt – daran glauben die Hildesheimer fest. Der Legende nach ließen die Zweige des „Tausendjährigen Rosenstocks" die von Ludwig dem Frommen hineingehängte Kapsel mit Marien-Reliquien nicht mehr los und veranlassten ihn so, hier 815 eine Marienkapelle zu stiften und das Bistum Hildesheim zu gründen. Seitdem überstand die Heckenrose, Rosa canina L. (Hundsrose), einige Brände, vor allem aber das verheerende Bombardement am 22. März 1945, als auch der Domhügel in Schutt und Asche versank. Schon im Sommer durchdrangen erste Triebe die Trümmer, und im Jahr darauf blühte die Rose wieder. Erstmals beschrieben wurde der Rosenstock an der Apsis um 1600. Die Rose ist das Wahrzeichen Hildesheims.

"When the rose blooms, the city blooms"- Hildesheimers believe strongly in the saying. According to legend, Louis the Pious had hung a capsule containing Mary's relics among the branches of the termed "thousand year rosebush." The thorny branches engulfed the relics and refused to let them go until Louis promised to donate a chapel in Mary's name and establish the Hildesheim diocese. Since then the dog rose, or Rosa canina L., has survived both several fires and the bombings of March 22nd, 1945, which engulfed even the mighty cathedral in rubble and ash. As early as the summer months following the attack, new shoots poked through the wreckage, and a year later the rose bloomed again. The rosebush was first referred to in the cathedral's apse in 1600. Since then it has become the Hildesheim's official emblem.

Les habitants d'Hildesheim croient fermement que tant que le rosier fleurira, la ville fleurira aussi. Selon la légende, comme les tiges du « Rosier Millénaire » ne relâchaient plus la capsule qui contenait les reliques de Marie que Louis le Pieux y avait suspendues, celui-ci fut contraint de faire don d'une chapelle de la Vierge Marie en l'an 815 et de fonder l'évêché d'Hildesheim.

Depuis, l'églantier Rosa Canina L. (églantier des chiens) a survécu à plusieurs incendies, mais surtout au bombardement dévastateur du 22 mars 1945, qui réduisit même le « Domhügel » (la colline de la cathédrale) en cendres. Dès l'été, les rameaux du rosier se frayèrent un chemin à travers les ruines et l'année suivante, le rosier refleurit. La première évocation du rosier qui pousse contre l'abside remonte à l'année 1600. La rose est l'emblème d'Hildesheim.

Denkmal Bischof Bernwards

Als Carl Ferdinand Hartzer 1893 das Denkmal schuf, zeigte er Bernward als segnenden Bischof und, zu seinen Füßen, sein Hauptwerk, die Michaeliskirche. Bernward stammt aus einem sächsischen Grafengeschlecht, wurde um 960 geboren, war am Hof von Kaiserin Theophanu ihr Notar und der Erzieher Ottos III. 993 wurde er zum Bischof von Hildesheim geweiht. Er widmete sich der Armen- und Krankenfürsorge. Um den Domhügel ließ er eine starke Befestigungsmauer bauen. Im Lande ließ er zum Schutz gegen angreifende Slawen Burgen errichten. Seinen Ruhm erlangte Bernward aber als Schöpfer der Bernwardstüren und der Christussäule und als Bauherr der Michaeliskirche, mit der er das ewige Leben zu erlangen erhoffte. 1192 wurde Bernward von Papst Coelestin III. heiliggesprochen.

Carl Ferdinand Hartzer's 1893 memorial portrays Bernward as blessing bishop with his masterwork, St. Michael's cathedral, at his feet. Bernward, born in 960, hailed from a lineage of counts and earls. He served as a notary in the court of the Empress Theophanu and as Otto III's teacher. He dedicated himself throughout his life to caring for the poor and the sick. As city planner he made great strides in changing the face of Hildesheim for the better. Bernward erected a strong fortified wall around the hill which would later house the Mariendom. He had several castles across the land built to help protect against the invasion of Slavs. However, Bernward is most famous as the creator of the Bernward doors and the Christ's column and as the contractor and creative mind behind the construction of St. Michael's (through which he had hoped to acquire eternal life). In 1192, Bernward was canonized as a saint by Pope Coelestin III.

En 1893, Carl Ferdinand Hartzer présenta la statue de l'évêque Bernward en train de bénir, avec à ses pieds, l'église Saint-Michel, son œuvre maîtresse. Bernward, qui descendait d'une lignée de barons saxons, naquit vers 960. À la cour de l'impératrice Théophano, il occupait la fonction de notaire et de précepteur d'Otto III. En 993, il fut consacré évêque d'Hildesheim et se voua aux pauvres et aux malades. Il fit enceindre le quartier de la cathédrale d'un puissant rempart et fit ériger des forteresses pour protéger le pays de l'offensive des Slaves. Mais c'est en tant que créateur des portes de Bernward et de la colonne du Christ et en qualité de maître d'œuvre de la Cathédrale Saint-Michel qu'il acquit la gloire. En faisant construire cet édifice, il espérait obtenir la vie éternelle. Le pape Célestin III canonisa Bernward en 1192.

Heilig Kreuz

Bischof Hezilo (1054–1079) ließ einen Teil der Stadtbefestigung zu einer Kirche umbauen. Teile der Toranlage sind im Mittelschiff noch heute erkennbar. So stimmt es, dass Hezilo „aus einem Haus des Krieges ein Haus des Friedens" machte. Das südliche Seitenschiff entstammt einer gotischen Umbauphase, das nördliche einer barocken. Die Westfassade mit der vorgelagerten Freitreppe, flankiert von den Sandsteinfiguren der Apostel Petrus und Paulus, sowie das Nordportal entstanden im italienischen Stil zwischen 1712 und 1727. Der Turm wurde 1781 erhöht und im Barockstil umgestaltet.

During his rule, Bishop Hezilo (1054–1079) had ordered for a part of the Hildesheim city fortification to be converted into a church. Today, the structure of a gate is still recognizable in the nave of what is now the Holy Cross Church. In this metamorphosis, Hezilo succeeded in turning a "house of war" into a "house of peace." The south nave originates from a Gothic reconstruction phase and the north from a phase influenced by the Baroque aesthetic. Both the west façade with its featured staircase and protective sandstone figures of the apostles Peter and Paul and the northern portal were built between 1712 and 1727 in an Italian style. The tower was made taller and redesigned during the Baroque era in 1781.

L'évêque Hezilo (1054–1079) fit transformer une partie des fortifications de la ville en église. Dans la nef centrale, on distingue encore aujourd'hui les parties d'une porte. Hezilo a donc vraiment «transformé une maison de guerre en une maison de paix». La nef latérale sud remonte à une phase de transformation gotique, au sud, il s'agit d'une transformation baroque. La façade ouest et son perron flanqué des personnages en grès des apôtres Pierre et Paul, ainsi que le portail Nord ont été réalisés en style italien entre 1712 et 1727. Le clocher a été rehaussé en 1781 et refait en style baroque.

Basilika St. Godehard

Kurz nach Bischof Bernwards Tod berief 1022 Kaiser Heinrich II. den vormaligen Abt von Niederaltaich zum Nachfolger. Er starb 1038 im von ihm gegründeten Mauritiusstift auf dem Moritzberg. Godehard vollendete die Michaeliskirche, erweiterte den Dom um das Westwerk und ließ im Bistum etwa dreißig Kirchen bauen. Papst Innozenz II. sprach ihn 1131 heilig. 1133 begann der Bau der romanischen Benediktinerklosterkirche, die Bischof Adelog 1172 einweihte. 1963 verlieh ihr Papst Paul VI. den Ehrentitel Basilica minor. Ihr Patron St. Godehard war einer der bedeutendsten Heiligen des Mittelalters. Die Stadt Hildesheim nahm ihn 1217 als Schutzheiligen in ihr Siegel auf. Auch das Stadtwappen Gothas enthält seine Abbildung. Der St.-Gotthard-Pass wurde nach ihm benannt. Das Kirchengebäude blieb in seiner gesamten Geschichte weitestgehend unversehrt. Das Benediktinerkloster blieb bis zur Säkularisierung 1803 katholisch. In seinen Räumen befindet sich seit 1971 die heutige Norddeutsche Hochschule für Rechtspflege.

In 1022, shortly after Bishop Bernward's death, Emperor Henry II appointed the former abbot of Niederaltaich, Godehard, as Bernward's successor. Godehard died in 1038 in the Moritzberg Mauritiusstift, which he himself had founded. Godehard completed the construction of St. Michael, expanded the Mariendom with the addition of a west wing, and had about thirty other churches built in the diocese. In 1131 he was canonized as a saint by Pope Innozenz II. The Romanesque Benedictine monastery was built beginning in 1133 in Godehard's name and inaugurated by Bishop Adelog in 1172. In 1963 Pope Paul VI bestowed it with the title of "Basilica minor." Its patron, St. Godehard, had been one of the most important saints of the middle ages. The city of Hildesheim incorporated him in 1217 as a patron saint into its official town seal, and the city of Gotha's coat of arms also contains his image. The St. Gotthard Pass in Switzerland is named after him. Amazingly, his namesake church in Hildesheim has survived history essentially unscathed. The St. Godehard Benedictine monastery remained Catholic until its secularization in 1803. Today it is used by the North German College for the Administration of Justice.

Peu après la mort de l'évêque Bernward en 1022, l'empereur Henri II désigna l'ancien abbé de Niederaltaich comme successeur de celui-ci. Il mourut en 1038 au couvent Saint-Maurice qu'il avait fondé sur le Moritzberg. Gothard acheva l'église Saint-Michel et agrandit la cathédrale en y ajoutant l'aile ouest. Il fit également construire environ trente églises dans l'évêché. Le pape Innocent II le canonisa en 1131. La construction de l'église romane du monastère bénédictin, consacrée par l'évêque Adelog en 1172, commença en 1133. En 1963, le pape Paul VI lui décerna le titre honorifique de basilique mineure. Son patron, Saint-Gothard était un des saints les pus importants du Moyen-âge. En 1217, la ville d'Hildesheim l'ajouta à son blason comme saint protecteur. Le blason de la ville de Gotha contient également son effigie et le col du saint Gothard porte son nom. Pendant toute son histoire, l'édifice de l'église est resté pratiquement intact. Le monastère bénédictin est demeuré catholique jusqu'à sa sécularisation en 1803. Depuis 1971, ses locaux abritent l'établissement actuel d'enseignement supérieur d'administration juridique d'Allemagne du Nord.

Die „Altstadt in der Neustadt"

Den Ruf Hildesheims als „Nürnberg des Nordens" begründeten rund 1500 Fachwerkbauten. Charakteristisch waren ihre individuelle Bauweise und die zum Teil üppigen Schnitzereien. 1300 fielen den Bombenangriffen im Februar und März 1945 zum Opfer. Nur im Brühl und in der Neustadt blieben zusammenhängende Reste erhalten. Viele wurden in den letzten Jahren restauriert und lassen den Glanz ihrer untergegangenen Zeitgenossen aus dem 15. bis 19. Jahrhundert erahnen. Das älteste stammte aus dem Jahr 1418. Die prächtigsten Häuser entstanden im 16. Jahrhundert unter dem Einfluss der Renaissance. Die in dieser Zeit gebauten prunkvollen Patrizier- und Gildehäuser am Markt und der „Umgestülpte Zuckerhut" am Andreasplatz sind mit Hilfe engagierter Bürger an der Schwelle zum 21. Jahrhundert originalgetreu wiederauferstanden.

Hildesheim's reputation as the "Nürnberg of the North" has developed as a result of its more than 1500 traditional half-timbered houses. These houses are known for their unique designs and ornate, often extravagant carvings. Most tragically, 1300 of them fell victim to the bombings in February and March of 1945. Of these 1300 houses, some in the Brühl and the Neustadt were barely salvageable. Many of the ruins have been restored since the war and in their new splendor suggest how their lost sisters and brothers might have looked had they also survived. The oldest half-timbered houses originate from 1418 and the most elaborate, gorgeous examples were generally built during the Renaissance. The pompous patrician and guild houses in the Marktplatz, all examples of Renaissance half-timbered construction, as well as the upside-down "Zuckerhut" on the Andreasplatz have been reincarnated true to their original forms with the help of devoted citizens.

La réputation d'Hildesheim de «Nuremberg du Nord» repose sur l'existence d'environ 1500 maisons à colombages qui se distinguent par leur mode de construction individuel et par les sculptures en bois en partie opulentes qui les ornent. En février et mars 1945, 1300 d'entre elles furent victimes des bombardements. Les restes homogènes conservés uniquement sur le Brühl et la nouvelle ville donnent une idée de la splendeur des maisons du XVᵉ au XIXᵉ siècle. Bon nombre ont été restaurées ces dernières années. La plus ancienne remonte à l'année 1418. Les maisons les plus somptueuses furent construites au XVIᵉ siècle sous l'influence de la Renaissance. Au seuil du XXIᵉ siècle, l'engagement de citoyens engagés a permis de restituer fidèlement aux originaux, les fastueuses maisons de patriciens et de guilde de la place du marché, ainsi que le pain de sucre renversé (Umgestülpte Zuckerhut) de la place Saint-André ont pu être restitués fidèlement aux originaux.

Das Wernersche Haus

Das Haus des Domsekretärs Philipp Werner am Godehardsplatz überdauerte alle Kriege und Brände vom Dreißigjährigen Krieg bis zum Zweiten Weltkrieg. Heute ist es das schönste erhalten gebliebene Fachwerkhaus der Stadt. 1606 hatte die Gegenreformation die Stellung der katholischen Kirche wieder gestärkt. Das Bildprogramm der Brüstungsplatten zeigt die Bischöfe Bernward und Godehard zusammen mit dem Stadtwappen sowie die Bilder von Karl dem Großen, Ludwig dem Frommen und Heinrich II., die als Kaiser in einer besonderen Beziehung zu Hildesheim standen. Zur Mahnung und Erbauung erinnern Allegorien an die vier Laster und die vier christlichen Tugenden. Seit seiner Restaurierung 2010/11 erstrahlt das alte Gebäude wieder in neuem Glanz.

The house built on Godehardsplatz for the cathedral secretary Phillipp Werner survived all of the disasters history brought to Hildesheim, from several fires to the Thirty Years' War to World War II. Today it is the most beautiful surviving and fully intact half-timber house in the city. In 1606, the Counterreformation strengthened the position of the Catholic Church in response to Luther's revolution. The iconography of the parapet slabs on the house depicts the Bishops Bernward and Godehard together with the city coat of arms as well as portraits of Charlemagne, Louis the Pious, and Henry II, who each had as emperor special relationships to Hildesheim. For admonition and edification, illustrated allegories depict the four vices and the four Christian virtues. Since its restoration in 2010 and 2011, the historical building shines again in its newfound brilliance.

De la Guerre de Trente Ans à la Seconde Guerre mondiale, la maison de Philipp Werner, le secrétaire de la cathédrale, située sur la place Godehard, a survécu à toutes les guerres et à tous les incendies. Aujourd'hui, c'est la plus belle maison à colombages conservée de la ville. En 1606, la Contre-Réforme avait renforcé la position de l'église catholique. Les images figurants sur les plaques des balustrades représentent les évêques Bernward et Gothard avec le blason de la ville ainsi que les portraits de Charlemagne, Louis le Pieux et Henri II, qui ont une relation particulière avec la ville d'Hildesheim. En guise de mise en garde et de réconfort, les allégories rappellent les quatre vices et les quatre vertus chrétiennes. Depuis sa restauration en 2010/2011, le bâtiment resplendit d'un nouvel éclat.

Brühl

Seit 1200 ist der Flurname Brulone, aus dem sich das heute geläufige Wort „Brühl" entwickelte, nachgewiesen. Er bezeichnete eine feuchte, sumpfige Niederung, auf der sich nach dem 12. Jahrhundert die Altstadt nach Süden erweiterte und Anschluss an das Godehardikloster (gestiftet 1133) fand. Die im Brühl und Hinteren Brühl zu sehenden Fachwerkhäuser aus dem 16. Jahrhundert standen vor 1945 im Schatten der bedeutenderen Gebäude, vor allem in der Umgebung des Marktes. Heute verdienen sie als Zeugen Hildesheimer Holzbaukunst besondere Beachtung. Inzwischen sind viele von ihnen von ihren Eigentümern restauriert worden.

The name Brulone first appeared in 1200 as a name for a marshy area of land near Hildesheim. Since then the word has developed into "Brühl." After the 12th century the old city expanded southwards into Brulone or Brühl as far as the St. Godehard Basilica (built in 1133). The 16th century half-timbered houses in Brühl and Hinteren Brühl long stood in the shadows of Hildesheim's most important architectural monuments, among others the half-timbered houses in the city center. Since 1945, the Brühl houses receive special attention as examples of virtuosic Hildesheim craftsmanship. Many have been restored since the war by their private owners.

Le mot aujourd'hui courant de Brühl s'est développé à partir du toponyme Brulone, prouvé depuis 1200. Il désignait un basfond humide et marécageux sur lequel la vieille ville s'est élargie vers le sud après le XIIe siècle, se rattachant ainsi au couvent Godehardi (fondé en 1133). Avant 1945, les maisons à colombages du Brühl et du Hinterer Brühl datant du XVIe siècle, se trouvaient à l'ombre de bâtiments plus importants, surtout près de la place du marché. Aujourd'hui, elles méritent une attention particulière en qualité de témoins de l'art de la construction en bois d'Hildesheim. Entre temps, beaucoup d'entre elles ont été restaurées par leurs propriétaires.

Kehrwiederturm

Der einzige erhaltene Torturm ist Teil einer fast quadratischen Befestigungsanlage, mit der sich die bis 1583 selbständige Neustadt im 14. und 15. Jahrhundert zum Schutz gegen Eindringlinge umgab. Im 16. Jahrhundert entstand weiter westlich zur Verstärkung der Kehrwiederwall mit dem dahinterliegenden Graben und dem Neuen Hohnsertor, das heute als „Nadelöhr" den Lappenberg mit dem Weinberg verbindet. 1805 ordnete die preußische Verwaltung an, die Stadtbefestigung abzutragen. Aus den Stadtgräben wurden Fischteiche, aus den Wällen Weideflächen und später Promenaden. Die Umgestaltung des Kehrwiederwalls begann 1816. Der Turm, an dem die Stadtmauer eine Kehre aufwies (Kehr-Wehr), blieb erhalten, vielleicht, weil er der Sage nach einer anmutigen Hildesheimer Jungfrau das Leben rettete. Nachdem ein Blitz ihren Liebsten, einen bischöflichen Ritter, erschlagen hatte, verirrte sie sich hoffnungslos im dichten Wald und wäre wohl darin umgekommen, hätte es nicht vom Turm „Kehr wieder, Kehr wieder" geläutet. Diese Jungfrau ist noch heute im Hildesheimer Stadtwappen zu sehen – mit einem Kranz in den Händen, nicht auf dem Kopf.

Seit 1982 nutzt der Kunstverein Hildesheim die Räume im Turm als Galerie.

The only surviving gate tower in Hildesheim is part of an almost square fortification that protected the Neustadt (independent until 1583) against invaders during the 14th and 15th centuries. In the 16th century, the Kehrwiederwall was erected to the west as reinforcement, together with a moat and the new Hohnsertor, which is today considered the 'eye of the needle' connecting the Lappenberg with the Weinberg. In 1805, the Prussian administration called for the dismantling of the entire fortification. The city moats were in turn converted into fish ponds and the walls into grazing fields and, eventually, promenades. The dismantling of the Kehrwiederwall began in 1816. The tower that had completed the city wall with its back vault (the Kehr-Wehr) was left intact. The reason for this decision could well be related to the old legend that the structure had helped to save the life of a brave Hildesheim virgin. After a lightning bolt struck her beloved, a knight of the diocese, she became hopelessly lost in the dark woods. She could easily have died there if it hadn't been for the tower, which sounded the words, "Turn around! Turn around!" in its ring. The figure of this virgin still appears in the Hildesheim coat of arms with a wreath in her hands. Since 1982, the Hildesheim Kunstverein (or art society) uses the rooms in the Kehrwiederturm as gallery space.

L'unique tour de porte conservée fait partie d'un dispositif de fortification presque carré, dont la Ville Nouvelle indépendante s'était entourée au XIVe et au XVe siècle jusqu'en 1583, pour se protéger des intrus. Le talus Kehrwieder avec ses fossés situés derrière et la Nouvelle Porte de Hohnsen sont situés plus à l'ouest. Ce « chas d'aiguille » a été mis en place au XVIe siècle pour défendre la tour Kehrwiederturm. Aujourd'hui, il relie le Lappenberg et le Weinberg. En 1805, l'administration prussienne ordonna de démolir les fortifications de la ville. Les fossés devinrent des viviers, les forêts se transformèrent en herbages et plus tard en mails. Le réaménagement du rempart Kehrwieder commença en 1816. Si on a conservé la tour au niveau où le mur de la ville présentait un tournant (Kehr-Wehr), c'est probablement parce que selon la légende, elle aurait sauvé la vie à une gracieuse pucelle d'Hildesheim. Après que son bien-aimé, un chevalier de l'évêque, ait été frappé par la foudre, elle se perdit désespérément dans la forêt épaisse. Elle y serait morte si la tour n'eut sonné « reviens, reviens ». Aujourd'hui encore, cette pucelle figure sur les armes de la ville d'Hildesheim – une couronne entre les mains, non pas sur la tête. Depuis 1982, l'association d'art d'Hildesheim utilise les locaux de la tour comme galerie d'exposition.

Synagogendenkmal

1848 war mit dem Bau einer Synagoge auf dem Lappenberg begonnen worden. Zusammen mit der 1881 eingeweihten jüdischen Schule, deren Gebäude heute als Bischof-Bernward-Haus von der St.-Godehard-Gemeinde als Pfarrhaus genutzt wird, bildete sie bis zu ihrer Zerstörung am 9. November 1938 durch SS- und Schutzpolizeimänner das geistliche und geistige Zentrum der Jüdischen Gemeinde. 1948 wurde an der westlichen Spitze des Platzes ein schlichtes Mahnmal zur Erinnerung an die Brandschatzung errichtet. 1988 ließ die Weinhagenstiftung gegenüber, in der Mitte der sichtbar gemachten Grundfläche des achteckigen Hauptschiffes der früheren Synagoge, einen Kubus errichten. Auf seinen jeweils vier Quadratmeter großen Flächen gestalteten vier Bildhauer nach dem Gesamtentwurf von Elmar Hillebrand zentrale Themen des Judentums: die „Erwählung" (Theo Heiermann), das „Gesetz" (Elmar Hillebrand), den „Kult" (Jochen Pechau) und die „Verfolgung" (Karl Matthäus Winter).

The construction of a synagogue on the Lappenberg was begun in 1848. Together with the Jewish school, opened in 1881, it acted as the spiritual and intellectual center of the Jewish community in Hildesheim until it was destroyed on November 9th, 1938 by members of the SS and so-called Schutzpolizei. The former Jewish school now exists as the Bishop Bernward Haus and is used by the St. Godehard parish as a rectory. A mere courtyard exists where the synagogue had stood. In 1948, a modest memorial was erected in the west corner of the courtyard in memory of the 1938 tragedy. In 1988, the Weinhagenstiftung constructed and placed a cubic sculpture across the way, in the middle of the still-visible foundation of the former synagogue's nave. On each of the four, 4 x 4 meter side surfaces, a certain sculptor portrayed a certain theme of Judaism in his own artistic language, as suggested by Elmar Hillebrand's overall design: "the Election" (Theo Heiermann), "the Law," (Elmar Hillebrand), "the Worship" (Jochen Pechau), and "the Persecution" (Karl Matthäus Winter).

Les travaux de construction d'une synagogue sur le Lappenberg commencèrent en 1848. Aujourd'hui, les bâtiments de l'école judaïque, inaugurée en 1881, sont utilisés comme Maison de l'Evêque Bernward, la maison paroissiale de Saint-Gothard. Jusqu'à la destruction de la synagogue par les SS et les forces de l'ordre le 9 novembre 1938, la synagogue et l'école constituaient le centre religieux et spirituel de la communauté juive. En 1948, un monument sobre rappelant le ravage a été érigé à la pointe ouest de la place. En 1988, la fondation Weinhagen, située en face, a fait dresser un cube au centre de la surface de la nef principale octogonale de l'ancienne synagogue dont ont a visualisé les contours. Sur les surfaces respectives de quatre mètres carrés réalisé d'après le concept d'Elmar Hillebrand, quatre sculpteurs ont illustré des thèmes centraux du judaïsme: l' «élection» (Theo Heiermann), la «loi» (Elmar Hillebrand), le «culte» (Jochen Pechau) et la «persécution» (Karl Matthäus Winter).

Keßlerstraße

Von den Kesselflickern, nach denen die Straße Anfang des 14. Jahrhunderts benannt wurde, fehlt heute jede Spur. Heute tummelt sich in den pittoresken Fachwerkhäusern des 16. bis 19. Jahrhunderts und in den gründerzeitlichen Backsteinhäusern eine bunte Schar von traditionellen Handwerkern bis zu modernen Dienstleistern. Vor dem Zweiten Weltkrieg waren die kleinen Häuser wegen ihrer sehr niedrigen Wohnungen und der sehr engen Bebauung und der dadurch bedingten ungesunden Lebensverhältnisse vom Abriss bedroht. Nach der Sanierung Ende der 1980er-Jahre mauserte sich das frühere Arme-Leute-Viertel zum schmucken Szene-Quartier.

Today, there's hardly a trace of the tinsmith community after which this street was named in the late 14th century. Nowadays, the picturesque half-timbered houses and the brick houses from the Gründerzeit are occupied by a colorful variety, from traditional artisans to modern designers and salespeople. Before the Second World War, many houses had stood in danger of demolition or abandonment due to what were considered unhealthy, cramped living conditions. However, after the restoration of many houses towards the end of the 1980's, what had earlier been the poor neighborhood began to evolve into today's classy "it" neighborhood.

Plus aucune trace des rétameurs qui ont donné leur nom à cette rue au début du XIVᵉ siècle. Aujourd'hui, les pittoresques maisons à colombage du XVIᵉ au XIXᵉ siècle et les maisons en brique des années de fondation du Reich abritent une grande diversité d'artisans traditionnels et de prestataires de services modernes. Avant la Seconde Guerre mondiale, les petites maisons aux appartements à plafonds très bas et de construction très étroite étaient menacées de démolition à cause des conditions de vie insalubres qui y régnaient. Après l'assainissement des maisons à la fin des années 1980, l'ancien quartier des pauvres est devenu un joli quartier branché.

Dompropstei

Am südöstlichen Ende der Keßlerstraße erinnern zwei stattliche Gebäude an die bischöfliche Herrschaft über die 1221 erstmals erwähnte Neustadt. Etwas versteckt hinter einer Mauer residierte bis zur Säkularisierung 1802 der Domprobst, der von hier aus die ihm übertragenen Ländereien in den Stiftsdörfern des Umlands und in der Neustadt, dem ehemaligen Dorf Losebeck, regierte. Das herrschaftliche Amtshaus ersetzte 1730 einen Vorgängerbau. Seit 1804 gehört es der Freimaurerloge „Pforte zum Tempel des Lichts".

At the southeastern end of Kesslerstraße, two stately buildings commemorate and testify to the former Episcopal rule over the Neustadt, which was first referred to as "Dorf Losebeck" in 1221. Until Hildesheim's secularization in 1802, the dean of the cathedral lived in one of these buildings, a relatively inconspicuous house behind a larger wall. It was from here that he had ruled over estates in surrounding villages and in Losebeck. The Lordly District Office replaced its predecessor building in 1730. Since 1804 it is operated as a Masonic lodge.

A l'extrémité sud-est de la rue Keßler, deux monuments imposants rappellent le règne de l'évêque sur la Ville Nouvelle, évoquée pour la première fois en 1221. Jusqu'à la sécularisation en 1802, le doyen résidait un peu caché derrière un mur. De là, il régnait sur les terres qui lui avaient été confiées dans les villages du couvent à la périphérie et dans la Ville Nouvelle, l'ancien village de Losebeck. En 1730, le majestueux bâtiment de fonction remplaça un bâtiment antérieur. Depuis 1804, il appartient à la loge maçonnique « Porte du Temple de la Lumière ».

Neustädter Markt

Um 1215 gründete Dompropst Graf Ludolf von Wohldenberg vor den Toren Hildesheims die Neustadt. Schon 1226 verlieh ihr König Heinrich VII. das Marktrecht, das noch heute mittwochs und samstags auf dem Neustädter Markt an der Lambertikirche ausgeübt wird. 1268 entstand dort das Neustädter Rathaus. Der Grundstein der spätgotischen Hallenkirche St.-Lamberti wurde 1474 gelegt. Bei der Stadtgründung hatte dort bereits eine romanische Kirche gestanden. Der 1952 wiederaufgebauten Kirche gab eine Bürgerinitiative 2007 ihre Turmspitze zurück.

Seit 1912 erzählt der Katzenbrunnen die Sage vom Nachtwächter, der eine schwarze Katze schlug und danach von ihren Artgenossinnen heftig bedrängt wurde.

In 1215, Count Ludolf of Wohldenberg, the dean of the cathedral, founded the Neustadt in front of the Hildesheim gates. As early as 1226, King Henry VII granted the Neustadt market rights, which are still practiced today on Wednesdays and Saturdays in Neustädter Markt in front of the Lambertikirche. In 1268 the Neustädter Rathaus was built on the same square. A shining example of a Late Gothic hall church, St. Lamberti was erected in 1474, replacing a Romanesque church that had existed on the same plot even earlier than the establishment of the Neustadt. St. Lamberti was rebuilt after war damage in 1952 and regained its spire with the help of a local initiative in 2007. In 1912, a fountain was built on the Neustädter Markt in front of the church. Decorated with the sculptures of four cats and a nightwatchman, the fountain refers to a local myth. According to the legend, the watchman beat a black cat and was then ferociously attacked by the cat's congeners in revenge.

Vers 1215, le Duc Ludolf von Wohldenberg, doyen de la cathédrale, fonda la Ville Nouvelle aux portes d'Hildesheim. Dès 1226, le roi Henri VII lui octroya le droit de marché, exercé encore aujourd'hui le mercredi et le samedi sur la place du marché de la Ville Nouvelle près de l'église Saint-Lambert. La mairie de la Ville Nouvelle fut construite à cet endroit en 1268 et la première pierre de l'église-halle de style gothique flamboyant de Saint-Lambert posée en 1474. Au moment de la fondation de la ville, une église romane s'y trouvait déjà. L'église a été reconstruite en 1952 et en 2007, une initiative citoyenne lui a rendu sa flèche. Depuis 1912, la fontaine des chats raconte l'histoire du veilleur de nuit qui, après avoir battu un chat noir, fut fort tourmenté par les congénères de celui-ci.

Die „Stadt im Grünen"

Fast zwei Drittel des 9218 Hektar großen Stadtgebietes werden naturnah genutzt und bestehen aus Ackerland (36,1 %), Wald (20,1 %) Erholungsflächen (Parks, Grünanlagen, 6,2 %) und Wasser (1,1 %). Wer sich lieber selbst von der abwechslungsreichen, schönen Natur in und um Hildesheim überzeugen möchte, kann die Stadt auf dem 45 Kilometer langen „Hi-Ring" mit dem Rad umrunden. Der Wanderer findet gut ausgebaute Wege und Ausflugsgaststätten in den stadtnahen Wäldern auf dem Galgenberghöhenzug, dem Steinberg, dem Berghölzchen, dem Rottsberg oder im Hildesheimer Wald. Spaziergänger können auf den Promenaden durch die etwa 15,4 Hektar großen Wallanlagen schlendern, die in einem Radius von etwa 600 Metern zwei Drittel der Innenstadt umschließen oder in den Erholungsgebieten am Hohnsensee, im Ernst-Ehrlicher-Park, im Friedrich-Nämsch-Park, im Marienfriedhof oder auf der Steingrube – alles in allem noch einmal über 25 Hektar. Schließlich sei Naturfreunden das „grüne Band" ans Herz gelegt: die Innersteaue vom Haseder Busch im Norden bis zur Lavesbrücke im Süden.

Almost two-thirds of the 9218-hectare (22 acre) city area is either dominated by or in close touch with nature. Hildesheim consists of 36.1 % farmland, 20.1 % forest, 6.1 % recreational areas, and 1.1 % water. Anyone who would like to be convinced of the diverse and beautiful nature in and around Hildesheim can pedal or walk around the city along the 45 kilometer "Hi-Ring." Hikers will find lovely trails and appealing restaurants along the way, whether in the woods of the Galgenberg hill, the Steinberg, the Berghölzchen, the Rottsberg or in the Hildesheimer Wald. Strollers can wander down the promenades that run along the 15.4-hectare embankments, which enclose two thirds of the city center in their 600 meter radius. They can explore the Hohnsensee, the Ernst-Ehrlicher-Park, Friedrich-Nämsch-Park, Marienfriedhof, or the Steingrube, all appealing recreational areas covering altogether over 25 hectares of land. Finally, nature lovers will learn to love the "grüne Band," a nickname for a mead along the River Innerste: from the Haseder Busch in the north to the Lavesbrücke in the south.

Presque deux tiers du territoire de la commune, soit une surface de 9218 hectares sont utilisés dans le respect de la nature. Ils comprennent des terres cultivées (36,1 %), des forêts (20,1 %) des espaces récréatifs (parcs, espaces verts, 6,2 %) et des plans d'eau (1,1 %). Pour admirer de plus près la magnifique variété de la nature d'Hildesheim et des ses alentours, on peut faire le tour de la ville en vélo en empruntant « l'anneau hi » (« Hi-Ring ») de 45 kilomètres de long. Dans les collines du Galgenberg (mont de la Potence), dans la Steinberg (montagne de pierre), dans le Berghölzchen (petit bois de la montagne), dans le Rottsberg (montagne de Rott) ou dans la forêt d'Hildesheim, le randonneur trouve des chemins bien aménagés et des auberges où faire halte pendant l'excursion. Les remparts d'une taille d'environ 15,4 hectares entourent deux tiers du centre-ville sur à peu près 600 mètres. Les promeneurs peuvent y flâner dans les allées ou opter pour les espaces récréatifs près du lac de Hohnsen, pour le parc Ernst-Ehrlicher, le parc Friedrich-Nämsch, pour le cimetière Sainte-Marie (Marienfriedhof) ou pour la fosse aux pierres (Steingrube) – le tout représentant encore plus de 25 hectares. Pour finir il convient d'attirer l'attention des amoureux de la nature sur le « ruban vert » (grüne Band) : le lac du barrage du Haseder Busch au nord jusqu'au pont Lavesbrücke au sud.

Historische Wallanlagen

Mit etwas Phantasie kann der Spaziergänger, der auf der Sedanallee, dem Kehrwiederwall, dem Langelinienwall oder dem Hohen Wall flaniert, die mächtigen Festungsanlagen vorstellen, mit denen sich Hildesheim vor Angreifern schützen wollte. Auf dem Kalenberger Graben und dem Seniorengraben ziehen heute Schwäne ihre Kreise. Sie sind die Reste des Grabensystems, das der Stadtmauer vorgelagert war. 1809 begann eine „Wallabtragungsgesellschaft" mit der Umwandlung der Stadtbefestigung in Gärten, Fischteiche, Promenaden und Parks. Schon 1812 war der Spazierweg am Kalenberger Graben fertig, Kehrwiederwall und Hoher Wall folgten 1819 und 1820. Tausende von Bäumen wurden angepflanzt, vor allem Linden und Pappeln. Jenseits der Wälle entstanden, vor allem in der zweiten Hälfte des 19. Jahrhunderts, noble Wohn- und Geschäftshäuser sowie – in einigem Abstand – Fabriken und Arbeiterwohnungen. Von 1800 bis 1900 vervierfachte sich die Bevölkerung.

For explorers who choose to saunter along the Sedanallee, the Kehrwiederwall, the Langelinienwall or the Hoher Wall, it only takes a little imagination to picture the powerful fortifications with which Hildesheim protected itself in earlier days. Today, swans swim elegantly in the Kalenberger Graben and Seniorengraben. They are all that is left of the complex moat system which lined the city wall and strengthened Hildesheim's defensive stance. In 1809, an local association devoted to the removal of the fortification began to convert parts of the massive structure into gardens, fish ponds, promenades, and parks. As early as 1812, the walking path along the Kalenberger Graben was finished. Similar paths along the Kehrwiederwall and Hoher Wall were completed in 1819 and 1820. Thousands of trees, especially lindens and poplars, were planted. Particularly in the second half of the 19th century, many noble houses and to some extent also factories and low-income housing began to appear on the other side of the embankments. Between 1800 and 1900, the population there quadrupled.

En flânant dans l'allée Sedan, sur le rempart Kehrwieder, sur le rempart Langelinie ou sur le Haut rempart, le promeneur imagine facilement les puissantes fortifications grâce auxquelles Hildesheim voulait se protéger des assaillants. Aujourd'hui les cygnes évoluent sur le Kalenberger Graben et sur le Seniorengraben. Ces douves constituent les restes du système de fossés situé en amont de l'enceinte. En 1809 une «société chargée de démolir les remparts» commença à transformer les fortifications de la ville en jardins, viviers, promenades et parcs. La promenade de la douve de Kalenberg fut achevée dès 1812, le rempart de Kehrwieder et le Haut Rempart suivirent en 1819 et 1820. Des milliers d'arbres furent plantés, surtout des tilleuls et des peupliers. Principalement dans la deuxième moitié du XIXᵉ siècle, des maisons d'habitations et des commerces chics apparurent de l'autre côté des remparts, et, à quelque distance de là, des usines et des logements ouvriers. Entre 1800 et 1900, la population quadrupla.

Hohnsensee

Der heutige Hohnsensee war ein alter Hildesheimer Wunschtraum. Er erfüllte sich, als der Kies unter der damaligen Müllerwiese von 1966 bis 1970 für Hildesheimer Großbaustellen, zum Beispiel der Pädagogischen Hochschule auf der Marienburger Höhe, ausgebaggert wurde. Schon 1970 begann die Uferbepflanzung. 1971 folgte die Anlage des 200 Meter breiten Badestrandes. Am 26. Mai 1974 nahmen gut 30 000 Besucher den See und seine Umgebung in Besitz. Heute ist der Hohnsensee Zentrum eines Sport- und Freizeitparks. Im Westen liegen die Sportanlagen des VfR Germania Ochtersum, des VfV-Borussia 06, von Eintracht Hildesheim und des DJK Blau-Weiß. Das Freibad Johanniswiese im Nordwesten bietet Schwimmern alles, was das Herz begehrt. Am Nordrand gibt es ein Kanuzentrum und südlich der Hohnsenbrücke die Vereinsanlage der Kanu- und Segelgilde. Wer es ruhiger angehen lassen möchte, kann am Ostufer Schiffe aufs Wasser setzen oder im Restaurant „Noah" entspannen.

What today exists as the Hohnsensee was the pipe dream of many a Hildesheimer in earlier days. The area under the former Müllerwiese was dredged and filled with water between 1966 and 1970. The gravel and grit from the dredging was accordingly used at large Hildesheim construction sites, such as the site of the new Pädagogische Hochschule on the Marienburger Höhe. Planting along the shore of this new body of water began in 1970, and a 200 meter beach was installed in 1971. On May 26th, 1974, 30 000 visitors swarmed to the lake and the surrounding area. Today, the Hohnsensee is a mecca for sports and recreational activity. The VfR Germania Ochterstum, VfV-Borussia 06, Eintracht Hildesheim and DJK Blau-Weiß, all athletic grounds and sports facilities, are located in the western section of the park. The Johanniswiese outdoor swimming pool in the northwest corner of the grounds has all that a swimmer's heart desires. A canoe center is located on the northern edge and a canoeing and sailing guild can be found south of the Hohnsen Bridge. Those who'd like to take it easy can watch the model boats at the eastern shore or relax at the Noah Restaurant.

L'actuel lac de Hohnsen était un vieux rêve des habitants d'Hildesheim. Il s'est réalisé lorsqu'entre 1966 et 1970 on excava les graviers sous l'ancienne Müllerwiese pour réaliser les grands chantiers d'Hildesheim, telle que la Haute école pédagogique sur le Marienburger Höhe. Dès 1970, on procéda à la plantation des berges et, en 1971 à l'aménagement d'une plage de 200 mètres de large. Le 26 mai 1974, environ 30 000 visiteurs prirent possession du lac et de ses environs. Aujourd'hui, le lac de Hohnsen forme le centre d'un parc de sports et de loisirs. Les complexes sportifs des clubs VfR Germania Ochtersum, VfV-Borussia 06, Eintracht Hildesheim et du DJK Blau-Weiß sont situés à l'ouest. Au nord-ouest, la piscine en plein air, Johanniswiese, comble les nageurs. Un centre de canoë est situé sur la rive nord et au sud du pont du Hohnsen se trouve le complexe du club de canoë et de voile. Ceux qui préfèrent la tranquillité, peuvent faire voguer des bateaux sur la rive est ou se détendre dans le restaurant « Noé ».

Café Noah

2001 eröffnete das Restaurant „Noah" am östlichen Ufer des Hohnsensees. Es ist zu jeder Zeit gut besucht, weil es – geschützt hinter Glas oder im Freien auf der Terrasse – einen herrlichen Blick auf das Wasser gewährt. Es ist das zuletzt eröffnete Lokal in einer langen Reihe beliebter Hildesheimer Ausflugsgaststätten. In ihnen konnten die Bürgerinnen und Bürger mit Stolz auf die Wälder, Parks und Gewässer schauen, die zu ihrer Erholung angelegt worden waren. Fast alle sind heute noch in Betrieb und beliebt: die Restaurants Hildesheimer Aussichtsturm, Berghölzchen, Kupferschmiede, Brockenblick und Galgenberg entstanden nach der Aufforstung der Berge rund um die Stadt Ende des 19. Jahrhunderts. An der Bischofsmühle wurden 1981 eine Wildwasserstrecke und eine Kanu-Slalom-Strecke freigegeben und direkt darüber das Inselcafé. Früher waren all diese Orte das Ziel von Familienspaziergängen. Heute verfügen sie alle über gute Zufahrtsstraßen und Parkplätze.

In 2001, the restaurant "Noah" opened on the eastern shore of the Hohnsensee. It is well visited year-round thanks to its generous view of the water. It is the most recent in a long row of beloved Hildesheim cafés designed as excursion stops for guests. In these establishments, locals have the opportunity to gaze proudly upon the woods, parks, lakes and ponds that enrich their beloved city. Almost all of these restaurants are still in operation. The Hildesheimer Aussichtsturm, Berghölzchen, Kupferschmiede, Brockenblick, and Galgenberg were all established after the reforestation of the hills surrounding Hildesheim at the end of the 19th century. At the Bischofsmühle (Bishop's mill), a white water rafting area and a slalom track for canoeing were installed across from the Inselcafé. In earlier days, all of these destinations used to be incorpo-

rated into long family walks. Today, however, they are most often accessed by car.

Le restaurant « Noah » a ouvert ses portes en 2001 sur la rive Est du lac de Hohnsen. La vue magnifique qu'il offre sur le lac et dont on profite, bien protégé derrière une vitre ou en plein air sur la terrasse en font un lieu toujours très bien fréquenté. Ce café ouvert en dernier lieu s'aligne dans une longue série de restaurants touristiques. Les citoyennes et les citoyens y contemplent

fièrement les forêts, les parcs et les lacs aménagés pour leur détente. Aujourd'hui, ces cafés sont pratiquement tous encore exploités et très appréciés: les restaurants « Hildesheimer Aussichtsturm », « Berghölzchen », « Kupferschmiede », « Brockenblick » et « Galgenberg » ont vu le jour à la fin du XIXᵉ siècle, après le reboisement des collines situées autour de la ville. En 1981, un trajet de descente en kayak et un trajet de slalom en canoë ont été autorisés, le café de l'Île se trouve juste au-dessus. Autrefois, les familles venaient s'y promener. Aujourd'hui ils y accèdent en voiture par des routes bien aménagées, équipées de parkings.

Magdalenengarten

Früher erntete man dort Gemüse und Obst. Der Garten des ehemaligen Magdalenenklosters entstand 1224. Nach der Säkularisierung zu Beginn des 19. Jahrhunderts verwilderte er. Die Roseninitiative Hildesheim e.V. erweckte ihn ab 2003 aus seinem Dornröschenschlaf. Landschaftsarchitekt Dr. Hans-Joachim Tute gestaltete ihn so, wie er 1725 schon einmal aussah: als barocken Schmuckgarten. Heute erwartet den Besucher, der den Zugang durch das Senioren- und Pflegeheim Magdalenenhof durchschritten hat, ein Rosarium mit rund 1500 Rosen sowie hundert verschiedenen Baum- und Straucharten. An seinem vorderen Rand bewacht die römische Göttin des Ackerbaus und der Fruchtbarkeit Ceres von ihrem barocken Sockel aus die Anlage. Im Norden behütet sie die Muttergottes. Am Hang hinter ihr hat der Hildesheimer Weinkonvent den mittelalterlichen Weinberg wieder kultiviert und 1995 mit 198 Rebstöcken der Sorte „Müller-Thurgau" bepflanzt. Traditionsgemäß bekommt der Bischof von Hildesheim vom Ertrag jedes Jahr den „Zehnten" – in guten Jahren 50 bis 60 Flaschen.

In the olden days, this garden was used for growing fruits and vegetables. It opened in 1224 as a project of the Magdalenen monastery. After secularization in the first half of the 19th century, it was abandoned and grew over. The campaign of the Roseninitiative Hildesheim e.V woke the garden out of its deep sleep in 2003. The landscape architect Dr. Hans-Joachim Tute wanted the garden to look as ornate as it probably had during the Baroque era in 1725. Today, the visitors who enter the garden through the Senioren und Pflegeheim Magdalenenhof (a retirement and nursing home) will find a rich variety of 1500 different roses as well as hundreds of species of trees and bushes. At the front edge of the garden, Ceres, the Roman goddess of agriculture and fertility, watches and protects the premises from her Baroque pedestal. On the north side, the Virgin Mother does the rest of the job. On the slope behind her grow 198 vines of Müller Thurgau wine grapes, planted in 1995 by the Hildesheim Weinkonvent. In keeping with tradition, the Bishop of Hildesheim receives a tenth of each year's harvest- in good years, between 50 and 60 bottles.

Autrefois on y récoltait des légumes et des fruits. Le jardin de l'ancien monastère de Madeleine a été aménagé en 1224. Après sa sécularisation au début du XIXᵉ siècle, il est tombé en friche. À partir de 2003, l'initiative « Roseninitiative Hildesheim e.V. » l'a tiré de son sommeil séculaire. Le paysagiste Dr. Hans-Joachim Tute l'a disposé tel qu'il était en 1725 : un jardin d'ornement baroque. Le visiteur qui en franchit aujourd'hui l'entrée, située entre la maison de retraite et la résidence médicalisée Magdalenenhof, découvre une roseraie d'environ 1500 rosiers avec une centaine d'arbres et d'arbustes différents. Du haut de son socle baroque situé sur le bord antérieur, Cérès, la déesse romaine de l'agriculture et de la fertilité surveille l'ensemble. Au nord, c'est la mère de Dieu qui veille. Sur la butte à l'arrière, le « Hildesheimer Weinkonvent » a repris la culture de la vigne médiévale. En 1995, il y a planté 198 pieds de vigne de Müller-Thurgau. Chaque année, la tradition veut que l'évêque d'Hildesheim reçoive la dîme de la récolte. Dans les bonnes années, cela représente jusqu'à 50 à 60 bouteilles.

Die „heimliche Kulturhauptstadt Niedersachsens"

Hildesheim bezeichnet sich gern als „Stadt der Schulen", als „heimliche Kulturhauptstadt Niedersachsens" und als „junge Großstadt mit alter Geschichte". Für jeden dieser Beinamen gibt es gute Gründe. Die Vielfalt der Schularten und der Schulträger ist groß. In der Stadt gibt es eine Universität, zwei Fachhochschulen und eine Volkshochschule mit breitgefächertem Angebot. Weit über die Stadtgrenzen hinaus sind das Roemer- und Pelizaeus-Museum und das Theater für Niedersachsen bekannt, aber auch die vielen freien Theatergruppen, die aus dem kulturwissenschaftlichen Fachbereich der Universität hervorgegangen sind. Einige betreiben in einem Fabrikgebäude am Langen Garten das „Theaterhaus". Bekenntnisse zu ihrer langen Geschichte legt die Stadt an den Stadtquartiers-Stelen im Zentrum, an den Erläuterungstafeln des Heimat- und Geschichtsvereins und der Altstadtgilde oder auf dem Geschichtspfad in der Arneken-Galerie ab.

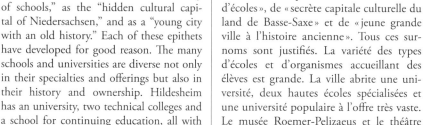

Hildesheim likes to think of itself as a "city of schools," as the "hidden cultural capital of Niedersachsen," and as a "young city with an old history." Each of these epithets have developed for good reason. The many schools and universities are diverse not only in their specialties and offerings but also in their history and ownership. Hildesheim has an university, two technical colleges and a school for continuing education, all with wide subject offerings. The influence of the university's cultural studies department has proven to reach far beyond the borders of Hildesheim proper; the Roemer and Pelizaeus Museum and the Theater für Niedersachsen as well as many freelance theater troupes are known to have been formed by the faculty and graduates of this department. Some of the theater groups perform in the Hildesheim Theaterhaus, located in a former factory building in the Langer Garten. Avowals to the long history of the town can be found in the Stadtquartier steles in the center, on the information signs provided by the Heimat- und Geschichtsverein, or in the history exhibitions in the Arneken Gallery.

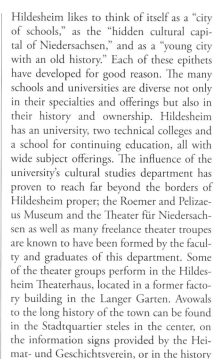

Hildesheim se qualifie volontiers de « ville d'écoles », de «secrète capitale culturelle du land de Basse-Saxe» et de «jeune grande ville à l'histoire ancienne». Tous ces surnoms sont justifiés. La variété des types d'écoles et d'organismes accueillant des élèves est grande. La ville abrite une université, deux hautes écoles spécialisées et une université populaire à l'offre très vaste. Le musée Roemer-Pelizaeus et le théâtre pour la Basse-Saxe sont connus bien au-delà des limites de la ville, tout comme les nombreuses troupes de théâtre libres, issues du département des sciences humaines de l'université. Certaines d'entre elles font tourner la maison du théâtre dans un bâtiment industriel situé au Langer Garten. Sur les stèles installées dans les quartiers respectifs, sur les plaques explicatives de l'association de protection du patrimoine et de l'histoire, et sur celles de la guilde de la vieille ville ou bien sur le sentier historique dans la galerie Arneken, la ville rend témoignage de sa longue histoire.

Roemer- und Pelizaeus-Museum

Hermann Roemer und Wilhelm Pelizaeus gaben dem bedeutendsten Museum der Stadt seinen Namen. Der erste gründete 1844 den heute noch bestehenden Museumsverein, der das Museum zuerst am Domhof, dann an der heutigen Stelle in der Martinikirche hervorbrachte. Die paläontologischen, ethnologischen und stadtgeschichtlichen Sammlungen Roemers wurden durch Zuwendungen anderer Hildesheimer ergänzt. Der größte Förderer war Wilhelm Pelizaeus, der in Ägypten als Kaufmann Erfolg hatte. Ab 1878 schenkte er seiner Heimatstadt kostbare ägyptische Altertümer. 1911 ließ er für sie ein eigenes Museumsgebäude errichten. Schon damals beherbergte es eine der bedeutendsten Sammlungen außerhalb Ägyptens, die heute auf etwa 9000 Objekte angewachsen ist. Viele von ihnen werden im 2000 eröffneten Museumsanbau gezeigt.

Hermann Roemer and Wilhelm Pelizaeus are the namesakes of the most important museum in the city. The first of them founded in 1844 the still existing Museumsverein, who established the museum at first in the cathedral court until it moved to its current location in the Martinikirche. The paleontological, ethnological, and historical collection of Hermann Roemer was gradually expanded through donations by other Hildesheimers. The greatest contributor was Wilhelm Pelizaeus, who had been successful as a salesman in Egypt. Starting in 1878, he brought back and donated many rare and expensive relics to his home city. In 1911, he had an entire museum building constructed for his beloved Hildesheim. Even at that point, it was already one of the most important collections outside of Egypt. Today, the antiquities have grown to over 9000 in quantity. Many of these are on exhibition in the new museum location, built in 2000.

Hermann Roemer et Wilhelm Pelizaeus ont donné leur nom au musée le plus important de la ville. En 1844, Hermann Roemer fonda l'association du musée qui existe encore aujourd'hui. Elle donna naissance au musée, situé tout d'abord sur le « Domhof » (la cour de la cathédrale), puis à son emplacement actuel dans l'église Martini. Les dons d'autres habitants d'Hildesheim complétèrent les collections paléontologiques, ethnologiques de Roemer et celles ayant trait à l'histoire de la ville. Wilhelm Pelizaeus qui entretenait un commerce florissant avec l'Egypte en fut le plus grand promoteur. À partir de 1878 il fit don de précieuses antiquités égyptiennes à sa ville natale et, en 1911, il leur fit construire un propre musée qui, à cette époque abritait déjà une des collections les plus importantes hors d'Egypte. Aujourd'hui, le nombre d'objets exposés atteint 9000. Beaucoup d'entre eux sont présentés dans l'annexe du musée, ouverte en 2000.

Schlegels Weinstuben

Um 1560 entstanden die drei schmucklosen Fachwerkhäuser oberhalb des Mühlengrabens in der Nähe der Großen Venedig, die man früher „Buden" nannte. In der damals recht feuchten Gegend geht es auch heute feucht her. 1975 ließ Margarete Caroline Schlegel das Ensemble zu einem anheimelnden Wein- und Speiselokal umbauen. Dabei kamen ein mittelalterlicher Brunnen zum Vorschein, an dessen Glasabdeckung man heute Platz nehmen kann, und allerlei Gerätschaften, die im Inneren zu sehen sind. Die direkt am Museum stehenden „Schlegels Weinstuben" wurden rechtzeitig zur ersten großen Sonderausstellung fertig, mit der der damalige Direktor Arne Eggebrecht 1976 unter dem Titel „Echnaton, Nofretete, Tutanchamun" rund 380 000 Besucher in das Roemer- und Pelizaeus-Museum lockte.

Around 1560, three modest and relatively unembellished half-timbered houses, earlier referred to as "shacks," by citizens, were erected beyond the Mühlengraben and close to the Große Venedig (a street lining the water). What used to be a very marshy area is today as lavish and dripping as ever: in 1975, Margarete Caroline Schlegel converted the three houses into a cozy wine tavern. One of the rooms is home to an antique medieval fountain. Visitors can peer down through the glass cover at the top and see inspect all of the inner workings of the fountain. "Schlegel's Weinstuben" was opened in time for the first large special exhibition in the Roemer and Pelizaeus Museum. The 1976 exhibition, organized by the former director Arne Eggebrecht, was entitled, "Akhenaten, Nefertiti, Tutankhamun," and attracted some 380 000 visitors.

Les trois sobres maisons à colombages, autrefois appelées «Buden», ont été construites vers 1560 au-dessus du Mühlengraben à proximité de la Grande Venise. Dans cette zone autrefois très humide, l'élément liquide joue aujourd'hui encore un rôle important. En 1975, Margarete Caroline Schlegel a fait transformer l'ensemble en restaurant et bar à vins. Les travaux ont révélé la présence d'une fontaine médiévale. Aujourd'hui, les hôtes installés autour de la plaque de verre qui la recouvre, découvrent toutes sortes d'outils d'époque à l'intérieur. Les «bars à vin Schlegel», situés directement à côté du musée, ont été achevés à temps pour la première exposition spéciale de 1976, organisée par l'ancien directeur Arne Eggebrecht. Elle portait le titre «Akhénaton, Néfertiti Toutankhamon» et a attiré environ 380 000 visiteurs au musée Roemer-Pelizaeus.

Haus der Landschaft

Eines der bedeutendsten Stadtarchive Norddeutschlands, dessen Bestände bis ins hohe Mittelalter zurückreichen, zog 1976 zusammen mit der nicht minder bedeutenden wissenschaftlichen Bibliothek in das wiederaufgebaute und restaurierte Haus der Landschaft, genauer der Landschaft des ehemaligen Fürstentums Hildesheim. Als sie 1818 das Gebäude übernahm, das Domkapitular Ferdinand Wilhelm Freiherr von Bocholtz 1715 im Barockstil errichten ließ, hatte sie nur noch wenig gemein mit ihrem mittelalterlichen Vorläufer. Im Wesentlichen kümmern sich bis heute die Kurien der Ritter, Städte und grundbesitzenden Bauern – im „Kaiserhaus" – um kulturelle Angelegenheiten der Region. Zu den wichtigsten der rund 10 000 Urkunden seit 1141 zählt das Stadtprivileg Bischof Heinrichs I. von 1249. Aus jener Zeit stammt der heute als Ehrenmünze verliehene Brakteat mit der bürgerstolzen Inschrift „EGO SUM HILDENSEMENSIS" – „Ich bin ein Hildesheimer".

One of the most important city archives in northern Germany date back to the late Middle Ages. In 1976 it joined with the equally important academic library in the rebuilt and restored Haus der Landschaft (referring to the Landschaft, or administration of the former Hildesheim principality). As the principality took over the Baroque building (which the canon Ferdinand Wilhelm Freiherr von Bocholtz had built in 1715), it had little in common with its medieval predecessors. Both back then and to date, the knightly council and landowners and their contemporary equivalents saw and see to regional cultural affairs within the walls of the Kaiserhaus. Among the most important documents existing in the Haus der Landschaft since 1141 is the town privilege written by Bishop Henry I in 1249. Another unforgettable artifact hailing from this same era is an honorary coin or bracteate inscribed with the proud words, "EGO SUM HILDENSEMENSIS" – "I am a Hildesheimer."

Il s'agit d'un des fonds d'archives communales les plus importantes d'Allemagne du Nord qui remonte jusqu'au haut Moyen-âge. En 1976, en même temps que la bibliothèque scientifique non moins importante, les archives ont déménagé dans la « Haus der Landschaft» (Maison de l'administration territoriale) reconstruite et restaurée, plus précisément dans la maison de l'administration («Landschaft») de l'ancienne Principauté d'Hildesheim. Le bâtiment construit en style baroque par le chanoine Ferdinand Wilhelm baron de Bochholtz en 1715, récupéré par l'administration territoriale en 1818, avait très peu en commun avec son prédécesseur médiéval. Jusqu'à nos jours, ce sont essentiellement les curies des chevaliers, des villes et des paysans terriens qui continuent à gérer les affaires culturelles de la région dans la – « maison impériale». Parmi les 10 000 actes que contiennent les archives depuis 1141, le droit urbain de l'évêque Henri 1, datant de 1249, fait partie des plus importants. Le bractéate décerné aujourd'hui comme médaille d'honneur, dont l'inscription reflète la fierté citoyenne «EGO SUM HILDENSEMENSIS» – «Je suis un habitant d'Hildesheim» date de cette époque.

Kaiserhaus

Seit 1998 ist ein großes Stück der Fassade des „Kaiserhauses" am Alten Markt, in der Nähe seines früheren Standortes am Langen Hagen, in alter Pracht zu bewundern. Jahrzehntelang hatten sich Mitglieder des Heimat- und Geschichtsvereins bemüht, die nach der Kriegszerstörung verstreuten Bauteile wieder zusammenzuführen. Eine Stiftung des verdienstvollen Hildesheimer Architekten Heinz Geyer, die Landschaft des ehemaligen Fürstentums Hildesheim und die Stadtsparkasse Hildesheim schafften es schließlich, das um 1586 von Caspar Borcholt in Stein errichtete „Kaiserhaus" zu rekonstruieren. Steinbildhauer Georg Arfmann fügte die unwiederbringlich verlorenen Steine hinzu. Seinen Namen verdankt es den in drei Friesen angebrachten Köpfen römischer Kaiser.

Since 1998, a large piece of the Kaiserhaus's façade can be admired in its brilliance in the Alter Markt, close to the house's former location at the Langer Hagen. For decades after the war, members of the Heimat- und Geschichtsverein went to great trouble to collect and reassemble the pieces that had been scattered in the rubble. With the special efforts of a foundation created by the distinguished Hildesheim architect Heinz Geyer, the regional organization of the former Hildesheim principality, and the Stadtsparkasse Hildesheim, the city finally succeeded in reconstructing the house according to the model of its original version, constructed out of stone in 1586 by Caspar Borcholt. The stone sculptor Georg Arfmann created duplicates of whichever pieces had been irretrievably lost. The house gets its name from the Roman Caesar busts that are mounted on three separate friezes on the building's façade.

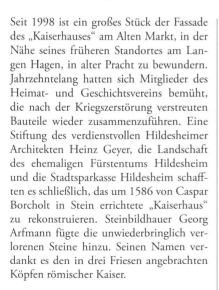

Depuis 1998, on peut admirer la splendeur d'un grand fragment de la façade de la « Kaiserhaus » (maison impériale) sur l'ancienne vieille place du marché, près de son emplacement initial sur le Langen Hagen. Pendant des décennies, les membres de l'association de protection du patrimoine et de l'histoire se sont employés à regrouper les éléments de construction dispersés suite aux destructions de la guerre. Finalement, les efforts conjugués de la fondation d'Heinz Geyer, un architecte très méritant d'Hildesheim, de l'administration territoriale (Landschaft) de l'ancienne Principauté d'Hildesheim et de la Caisse d'Épargne de la ville, ont permis de reconstituer la « Maison impériale », construite en pierre par Caspar Borcholt vers 1586. Georg Arfmann, sculpteur sur pierre, a rajouté les pierres irréparablement perdues. La maison doit son nom aux têtes d'empereurs romains qui figurent dans les trois frises.

Königliche Regierung

Bereits 1816 hatte das Königreich Hannover in Hildesheim eine Provinzialregierung als Mittelbehörde eingerichtet, die ab 1823 Landdrostei hieß. 1885 wurde daraus ein preußischer Regierungsbezirk, für den von 1887 bis 1894 die bisherige Landdrostei, die frühere Spiegelsche Kurie, im Neurenaissancestil umgebaut und erweitert wurde. Über dem Portal zur Kreuzstraße nehmen die Namensmedaillons Friedrichs III. und Wilhelms II., drei Königswappen und ein Sinnspruch Bezug auf das „Dreikaiserjahr" 1888: „Wilhelm, der Vater des Reichs, / erweckte dies Haus aus den Steinen. / Friedrich, der duldende Fürst, / richtete Pfeiler und Wand. / Wilhelm vollbrachte das Werk, / der Trost und die Hoffnung der Seinen. / Schütze nun Kaiser und Haus / Gottes allwaltende Hand." Zum Domhof hin erhielt das Gebäude einen monumentalen Balkon. Zum 1. Februar 1978 wurde der Regierungsbezirk Hildesheim aufgelöst. Das Gebäude nutzt seitdem das Niedersächsische Landesamt für Soziales, Jugend und Familie (Landessozialamt) als Hauptstelle.

In 1816, the kingdom of Hanover established a provincial government post in Hildesheim as a local authority. Earlier called the Spiegelsche Kurie, starting in 1823 it was called the "Landdrostei" ("administrative district"). In 1885 it was turned into a Prussian governmental office and between 1887 and 1894 restored and expanded in neo-Renaissance style. Above the gateway to Kreuzstraße, medallions depicting Frederic III and William II, three royal crests, and an epigram all refer to the "Three Emperor Year" of 1888. The epigram reads, "William, Father of the Empire, / Awoke this House from Stone. / Frederic, the Whistling Prince, / Built Pillar and Wall. / William Completed the Task, / for the Solace and Hope of his People. / Protect now, Emperor and House / God's Almighty Hand." The building has a grand balcony facing the cathedral. On February 1st, 1978, the governmental precinct of Hildesheim was dissolved. Since then, the building has been used by the Landessozialamt (National Social Assistance Office).

Dès 1816, le Royaume de Hanovre avait établi un gouvernement de province à Hildesheim. Il s'agissait d'une autorité intermédiaire, qui prit le nom de Landrostei en 1823 et devint une autorité du district de Prusse en 1885. Pour l'abriter, on transforma le Landrostei, l'ancienne « Spiegelsche Kurie » en style néo-renaissance et on l'agrandit de 1887 à 1894. Les médaillons portant les noms de Frédéric III et de Guillaume II, trois blasons royaux et un dicton figurant au-dessus du portail qui donne sur la Kreuzstraße se réfèrent à l'année 1888 « l'année des trois empereurs », « Guillaume, le père du Reich, / a réveillé cette maison des pierres. / Frédéric, le prince tolérant, / a installé les piliers et le mur. / Guillaume a achevé l'œuvre, / la consolation et l'espoir des siens. / Que la toute puissante main de Dieu / protège l'empereur et la maison. » Le bâtiment présente un balcon monumental qui donne sur le « Domhof » (la cour de la cathédrale). La circonscription d'Hildesheim a été dissoute le 1er février 1978. Depuis, le bâtiment abrite la centrale de la commission régionale des affaires sociales, de la jeunesse et de la famille de Basse-Saxe (Landessozialamt).

Stadttheater

Was wie ein griechischer Musentempel aussieht, ist seit 1909 der Stolz der Hildesheimer Bürgerinnen und Bürger. Noch vor dem Rathaus bauten sie ihr Stadttheater nach dem Krieg wieder auf. Es entstand aus einer Aktiengesellschaft wohlhabender Hildesheimer, an der sich später die Stadt beteiligte und es schließlich ganz erwarb. Seit den 1970er Jahren finanzierten der Landkreis und das Land Niedersachsen das Stadttheater mit. 2006 fusionierte es mit der Landesbühne zum Theater für Niedersachsen (TfN). Die in Hildesheim einstudierten Schauspiele, Musicals, Operetten, Opern und Konzerte führt das Ensemble seitdem an vielen Orten Niedersachsens und Schleswig-Holsteins auf. Weit über die Stadtgrenze hinaus ist das „Hildesheimer Modell" bekannt – die Zusammenarbeit mit der Universität Hildesheim und den aus ihr hervorgegangenen freien Theatergruppen. Einen überregionalen Ruf hat sich auch das Pfingstfestival „Jazz-Time Hildesheim" erworben, mit dem der Cyklus 66 seit 1979 jährlich im und vor dem Stadttheater tausende Jazz-Fans begeistert.

What looks like an ancient Greek Temple of Muses has been the pride of Hildesheim citizens since 1909. After the war, Hildesheimers were even more eager to rebuild their theater than they were to rebuild their town hall. The theatre was first built and owned by a company of wealthy Hildesheim businessmen and was then shared and eventually fully taken over by the city. Since the 1970's, the region and the federal state of Niedersachsen help to fund the theatre. In 2006 it unified with the Landesbühne as new Theater für Niedersachsen. The plays, musicals, operettas, operas and concerts, all rehearsed in Hildesheim, are produced by the in-house ensemble in many towns and cities throughout Niedersachsen and Schleswig-Holstein. Far beyond the city's borders, the "Hildesheim model," a term for the free theater style practiced by many groups formed at the university, is known and respected. The springtime festival "Jazz-time Hildesheim," which together with the venue Cyklus 66 puts on concerts in and in front of the Stadttheater since 1979, draws thousands of fans each year and has earned an international reputation.

Depuis 1909, ce bâtiment qui rappelle un temple grec des muses, fait la fierté des citoyennes et des citoyens d'Hildesheim. Après la guerre, avant même de reconstruire l'hôtel de ville, ils reconstruisirent le théâtre. Une société anonyme d'habitants aisés d'Hildesheim en prit l'initiative, la ville y participa par la suite et finit par l'acquérir totalement. Depuis les années 70, la circonscription et le land de Basse-Saxe participaient au financent du théâtre municipal. En 2006, celui-ci a fusionné avec la «Landesbühne» et est devenu le «Theater für Niedersachsen» (TfN Théâtre pour la Basse-Saxe). Depuis, dans de nombreux lieux de Basse-Saxe et dans le land de Schleswig-Holstein, l'ensemble présentent des pièces, comédies musicales, opérettes, opéras et concerts montés à Hildesheim. «Le modèle d'Hildesheim» – la coopération entre l'université d'Hildesheim et les troupes de théâtres libres qui en sont issues – est connu bien au-delà des frontières de la ville. Depuis 1979, chaque année à la Pentecôte, le festival «Jazz-Time Hildesheim» a lieu dans et devant le théâtre municipal. Il enthousiasme des milliers d'amateurs de jazz et sa réputation dépasse désormais les limites de la région.

Burg Steuerwald

Die ehemalige Bischöfliche Burg Steuerwald sollte zu Beginn des 14. Jahrhunderts die aufsässigen Hildesheimer das Fürchten lehren. Bischof Heinrich II. gilt als Bauherr, der mit der Wasser- und Zwingburg den Verkehrsknoten im Norden kontrollieren und die eigenmächtige Gewalt seiner Untertan steuern wollte – aus „sturewolt" wurde Steuerwald. Ihre heutigen Ausmaße erhielt die Burg unter Heinrichs Nachfolger Otto II. und behielt sie trotz der vielen Fehden, Kämpfe und Kriege, denen sie in über sieben Jahrhunderten ausgesetzt war. 1803 wurde aus dem Bischofsbesitz eine staatliche Domäne, die 1912 in städtischen Besitz kam: Die Stadt benötigte das Land für den Bau des Hafens. Heute nutzt der Reit- und Fahrverein Hildesheim große Teile der Anlage. Die 1507 etwas abseits errichtete St.-Magdalenen-Kapelle ist von einer Bürgerinitiative wieder liebevoll restauriert worden.

This former Episcopal castle was designed at the beginning of the 14th Century to put the fear of God into the defiant Hildesheim villagers. Bishop Henry II, its builder, sought the support of his moated castle and stronghold to control the transportation and trade centers in the north and govern his chaotic and often violent subjects. The name "Steuerwald" comes from "sturewolt," or "will to control." The castle grew to its current magnificent scale under the hand of Henry's successor, Otto II, and has retained this majesty despite seven centuries of violent feuds, battles, and wars. In 1803, the castle became public property and in 1912 was taken into municipal control. The city needed the land for the construction of its port. Today, the equestrian and driving club uses most of the property. The St. Magdalenen Kapelle, erected in 1507 beside the castle, has been painstakingly restored thanks to a local campaign.

Au début du XIVe siècle, l'ancienne forteresse épiscopale « Steuerwald » avait pour but de dissuader les habitants belliqueux d'Hildesheim. L'évêque Henri III passe pour son maître d'œuvre. Au moyen de cette citadelle entourée d'eau, il voulait contrôler le nœud de communication du Nord et commander le pouvoir que ses sujets avaient pris sans le concerter – « sturewolt » devint Steuerwald. C'est sous le règne d'Otto II, le successeur d'Henri que la forteresse atteignit ses dimensions actuelles, Malgré les nombreuses querelles, batailles et guerres, auxquelles elle a été confrontée pendant plus de sept siècles elle a réussi à les conserver. En 1803 le siège épiscopal devint domaine national et passa à la propriété de la commune en 1912. La ville avait besoin des terres pour construire le port. Aujourd'hui, c'est le club d'équitation et d'attelage d'Hildesheim qui utilise une grande partie du site. La chapelle Sainte-Madeleine, érigée un peu à l'écart en 1507, a été restaurée avec amour par un comité de défense.

Domäne Marienburg

Eine der besterhaltenen spätmittelalterlichen Wasserburgen Niedersachsens hat ihr heutiger Eigentümer, die Stiftung Universität Hildesheim, aufwendig restauriert und für ihre Zwecke einfühlsam umgebaut. Bischof Heinrich III. ließ die Zwingburg „castrum Mariae" von 1346 bis 1349 im Süden der Stadt am Schnittpunkt zweier Handelsstraßen anstelle des Dorfes Tossum errichten. Nach dem Dreißigjährigen Krieg entstand die große Steinscheune, die heute von den Bildenden Künstlern genutzt wird. Die mittelalterlichen Wohn- und Repräsentationsräume im 29,5 Meter hohen Palas und die Stallungen aus dem 19. Jahrhundert sowie das neugebaute „Burgtheater" sind Lern- und Arbeitsorte der Kulturwissenschaftler. Unverändert blieben bislang der Bergfried, der Ostflügel und das Brauhaus. Seit 1808 ist die Burg Teil der Domäne Marienburg. Von 1949 bis 1992 produzierte sie in den historischen Gemäuern das beliebte MUKU-Eis. Heute locken die süßen Leckereien des Hof-Cafés Jung und Alt in die Burganlage. Auch das Schulmuseum erfreut sich großer Beliebtheit.

The Stiftung Universität Hildesheim (University Foundation of Hildesheim) restored one of the best-preserved late medieval moated castles in Niedersachen, elaborately and carefully for its own future use. Bischof Henry III had the "Castrum Mariae" built between 1346 and 1349 in the south of the city at the corner of two trade streets in the former Tossum village. After the Thirty Years' War, a large stone barn was built in the same neighborhood and is used today as artists' studios. The medieval living and display rooms in the 29.5 meter-high palace, the 19th century stables, and the newly built "Burgtheater" are the study and work places of cultural studies scholars. The castle's main tower (or keep), east wing, and brewery are all still intact and original. Since 1808, the castle belongs to the Marienburg domain. Between 1949 and 1992, the beloved MUKU ice cream was produced within the walls of the building. Today, the Young and Old Café offers sweet treats in MUKU's place. The school museum, also located in the castle complex, is very popular among visitors.

La Fondation de l'Université d'Hildesheim, l'actuel propriétaire, a restauré à grand frais un des châteaux forts entourés d'eau, le mieux conservé de Basse-Saxe et l'a transformé avec beaucoup de doigté pour ses objectifs. Entre 1346 et 1349, l'évêque Henri III a fait ériger cette forteresse castrum Mariae au sud de la ville, au carrefour de deux routes commerciales à la place du village de Tossum. La grande Grange en pierre, utilisée aujourd'hui par des artistes, date d'après la guerre de Trente Ans. Les historiens de la culture étudient et travaillent dans les pièces d'habitation et d'apparat médiévales du palas, haut de 29,5 mètres, dans les écuries du XIXᵉ siècle et dans le nouveau « Théâtre du château-fort ». Jusqu'à présent, le donjon, l'aile orientale et la brasserie sont restés inchangés. Depuis 1808, le château-fort fait partie du domaine de Marienburg. De 1949 à 1992, on fabriquait dans les vieux murs historiques, la glace MUKU très appréciée. Aujourd'hui, les pâtisseries du café Hof attirent jeunes et moins jeunes dans le château. Le musée scolaire jouit également d'une grande popularité.

Universität Hildesheim

Das Hauptgebäude der Universität Hildesheim am Marienburger Platz entstand in den 1960er Jahren. 1970 nahm es etwa 470 Studierende der aufgelösten Pädagogischen Hochschule Alfeld auf. Im Wintersemester 2012/13 hatten sich über 6300 Studierende an der Hochschule immatrikuliert, die seit 1989 Universität und seit 2003 – als erste in Deutschland – Stiftungsuniversität ist. Ihre Verwaltung und ihre vier Fachbereiche sind an mehreren Stellen der Stadt untergebracht: im Gebäude der Industrie- und Handelskammer, im Logengebäude an der Keßlerstraße, in der früheren Fachhochschule der Polizei an der Lübecker Straße, in der früheren Hauptschule Marienburger Höhe und der ehemaligen Timotheuskirche an der Schillstraße und in der Domäne Marienburg. Der Anteil der Lehramtsstudierenden ging auf etwa ein Drittel zurück. Seit 1977 verfügt die Hochschule über das Zentrum für Fernstudium und Weiterbildung in Kooperation mit der Fernuniversität Hagen. Auch die Türen zur Stadt sind weit geöffnet: durch die 1979 gegründete Universitätsgesellschaft, durch die zahlreichen „Ringvorlesungen", durch die Universitätsbibliothek und durch das Zentrum für Weltmusik.

Hildesheim University's main building on Marienburger Platz was built in the 1960's. In 1970, the institution admitted about 470 students from the dissolved Pädagogische Hochschule Alfeld (Alfeld Teachers' College). The college became an university in 1989 and a private university in 2003. In the fall semester of 2012, over 6300 students were registered. Its administrative and educational buildings are dispersed throughout the city, for example, in the Industrie- und Handelskammer (Chamber of Commerce and Industry) building, in the Masonic lodge on Kesslerstraße, in the former Fachhochschule der Polizei (Technical College for Police) on Lübecker Straße, in the former Marienburger Höhe school, in the former Timotheuskirche on Schillstraße, and in the Domäne Marienburg. The number of students enrolled in the education department has decreased recently by a third. Since 1977, the university created a Zentrum für Fernstudium und Weiterbildung (Center for Study Abroad and Continuing Education) in cooperation with the Fernuniversität Hagen. A healthy and productive relationship has blossomed between the city of Hildesheim and its university. This relationship has several institutions and communities to thank: the Universitätsgesellschaft (University Association), founded in 1979, the numerous public lecture series given, the university library, and the Zentrum für Weltmusik (Center for World Music).

Le bâtiment principal de l'université d'Hildesheim situé sur la place Marienburg a été construit dans les années 60. En 1970, il a accueilli environ 470 étudiants de la haute école pédagogique d'Alfeld qui venait d'être dissoute. Au semestre d'hiver 2012/13 plus de 6300 étudiants étaient inscrits à l'institut d'études supérieures, qui porte le titre d'université depuis 1989. En outre, c'est la première université de fondation d'Allemagne. Son administration et ses quatre unités de formation et de recherche sont répartis sur plusieurs sites de la ville: dans le bâtiment de la chambre de commerce et d'industrie, dans le bâtiment de la loge de la Keßlerstraße, dans l'ancienne haute école spécialisée de la police de la rue Lübecker Straße, dans l'ancienne Hauptschule Marienburger Höhe, dans l'ancienne église Timotheuskirche dans la Schillstraße ainsi que dans le domaine de Marienburg. La proportion d'étudiants en formation pédagogique a diminué d'environ un tiers. Depuis 1977, l'institut d'études supérieures dispose d'un centre de téléenseignement et de formation continue et coopère avec l'université de téléenseignement d'Hagen. La ville a également ouvert grand ses portes avec la société de l'université fondée en 1979, les nombreux cycles de conférences, la bibliothèque universitaire et le centre de musique du monde.

Hochschule für angewandte Wissenschaft und Kunst (HAWK)

  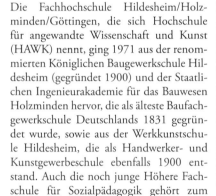

Die Fachhochschule Hildesheim/Holzminden/Göttingen, die sich Hochschule für angewandte Wissenschaft und Kunst (HAWK) nennt, ging 1971 aus der renommierten Königlichen Baugewerkschule Hildesheim (gegründet 1900) und der Staatlichen Ingenieurakademie für das Bauwesen Holzminden hervor, die als älteste Baufachgewerkschule Deutschlands 1831 gegründet wurde, sowie aus der Werkkunstschule Hildesheim, die als Handwerker- und Kunstgewerbeschule ebenfalls 1900 entstand. Auch die noch junge Höhere Fachschule für Sozialpädagogik gehört zum „Urgestein" der HAWK.

Das futuristische Gebäude am Zimmerplatz wurde 1999 eingeweiht. Gedacht war er für den Studiengang Betriebswirtschaft, der aber schon 2002 „aus betriebswirtschaftlichen Gründen" von der Hochschulleitung an Hannover abgegeben wurde. Der Umzug des Klinikums auf das Gelände der ehemaligen Ledebur-Kaserne bietet der HAWK die Chance, am Weinberg die auf acht Standorte und 16 Gebäude verteilten Außenstellen in einem Campus zusammenzuführen. 2014 soll er bezugsfertig sein.

The Fachhochschule of Hildesheim/Holzminden/Göttingen, otherwise known as the Hochschule für angewandte Wissenschaft und Kunst (HAWK) or College of Applied Arts and Sciences was formed as a merger of several smaller trade and art schools: the Königliche Baugewerkschule Hildesheim, the Staatliche Ingenieurakademie für das Bauwesen Holzminden (which was, in 1831, the first architectural trade school to be established in Germany), the Werkkunstschule Hildesheim, a trade and art college, which was established in 1900, and finally the Höhere Fachhochschule für Sozialpädagogik.

HAWK's futuristic building on Zimmermannplatz was inaugurated in 1999. The construction had originally been intended for the Hochschule's business administration school, which however in turn for "business administrative" reasons had to be relocated to the city of Hannover. The municipal medical clinic moved from the Weinberg to the grounds of the former Ledebur Barracks. This relocation has given HAWK the opportunity to combine its eight locations and sixteen buildings into a single campus. The complex should be ready to be moved into in 2014.

En 1971, la Haute Ecole Spécialisée Hildesheim/Holzminden/Göttingen, dénommée Haute Ecole de sciences et d'art appliqués (HAWK) a vu le jour. Elle a été créée à partir de la célèbre école royale des corps de métier d'Hildesheim (« Königliche Baugewerkschule Hildesheim ») fondée en 1900 et de l'Académie d'Etat des ingénieurs de la construction de Holzminden (« Staatliche Ingenieurakademie für das Bauwesen Holzminden »), la plus ancienne école de construction d'Allemagne fondée en 1831, ainsi que de l'école d'arts appliqués d'Hildesheim, également créée en 1900 comme école des arts et métiers (« Handwerker- und Kunstgewerbeschule »). L'Ecole Supérieure d'animation socio-éducative constitue également un rameau encore jeune de l'ancêtre de la HAWK.

Le bâtiment futuriste situé sur la place Zimmer et destiné aux études d'économie des entreprises a été inauguré en 1999. Pour des raisons économiques, la direction de l'école l'a restitué à Hanovre dès 2002. Le déménagement de la clinique du Weinberg sur le terrain de l'ancienne caserne de Ledebur a permis à la HAWK de regrouper ses antennes dispersées sur huit sites et dans 16 bâtiments sur un campus qui devrait être prêt en 2014.

Gymnasium Josephinum

Von dem ehemaligen Jesuitenkolleg, das 1592 gegründet und 1773 in das bischöfliche Gymnasium Mariano-Josephinum umgewandelt wurde, überstand nur die barocke Fassade die Bombardierung im März 1945. Die Schüler schritten durch das mit korinthischen Säulen geschmückte Portal, um zur humanistischen Bildung zu gelangen. Das Wappen darüber erinnert an den bedeutenden Mäzen, Domdechant von und zu Weichs.

Der dreigeschossige Schulneubau schließt den kleinen Domhof nach Osten ab. Bis 1982 war das Josephinum eine Jungenschule, die gymnasiale Bildung der katholischen Mädchen übernahm die Marienschule. In unmittelbarer Nähe dieser Schulen sind auch die Realschule Albertus-Magnus und die Hauptschule St.-Augustinus angesiedelt. Fünf städtische Grundschulen für Schüler katholischen Bekenntnisses sowie 18 katholische Kindertagesstätten komplettieren das Erziehungs- und Bildungsangebot der katholischen Kirche.

This former Jesuit College, founded in 1592 and converted in 1773 into the Episcopal Mariano-Josephinum secondary school, retained little more than its baroque facade after the bombings in March of 1945. On the way to their humanities classes, students walk through a large portal decorated with Corinthian columns. The crests above the portal commemorate Weichs, an important patron and cathedral dean.

The new, three-story school building lies on the east side of the cathedral's courtyard. Until 1982, Josephinum was a school for boys. During this time, the Marienschule offered a catholic education for girls. The Albertus-Magnus and St. Augustinus secondary schools are close neighbors. The Church's educational system in Hildesheim includes five Catholic municipal elementary schools and eighteen Catholic daycare centers.

Seule la façade baroque de l'ancien collège jésuite fondé en 1592, transformé en lycée épiscopal « Mariano-Josephinum » en 1773, a survécu au bombardement de mars 1945. Pour accéder à la formation humaniste, les élèves franchissaient le portail décoré de colonnes corinthiennes. Le blason situé au dessus rappelle l'important mécène, doyen du chapitre von und zu Weichs.

À l'ouest, le nouveau bâtiment de l'école à trois étages, borde le petit « Domhof » (la cour de la cathédrale). Jusqu'en 1982, le « Josephinum » était uniquement destiné aux garçons, l'éducation catholique des filles au lycée étant assurée par l'école Sainte-Marie. La « Realschule Albertus-Magnus » et la « Hauptschule St.-Augustinus » sont également situées à proximité directe de ces écoles. Cinq écoles primaires communales pour les écoliers de confession catholique ainsi que 18 jardins d'enfants catholiques viennent compléter l'offre d'éducation et d'enseignement de l'église catholique.

Gymnasium Andreanum

Der Erzbischof von Mainz erlaubte 1225 dem Andreanum im Streit mit dem Domscholaster so viele Schüler aufzunehmen, wie es wolle. Die Schule muss also schon vor ihrer ersten urkundlichen Erwähnung bestanden haben. Sie wurde als Schule der Bürger gegründet – im Gegensatz zur Domschule, die wohl 815 zusammen mit dem Bistum entstand. Nach 1542 richtete sich die Schule nach der evangelisch-lutherischen Schulordnung von Johannes Bugenhagen. Seit 1977 ist die Evangelisch-lutherische Landeskirche Hannover auch der Schulträger. Bedeutende Persönlichkeiten wie der Nobelpreisträger Sir Hans Adolf Krebs, der Afrikaforscher Friedrich Konrad Hornemann, der Komponist Georg Philipp Telemann oder der Kulturpolitiker Adolf Grimme gingen aus dem Andreanum hervor. Das heute genutzte Gebäude bezog die Schule 1962. Es wurde mehrfach erweitert, zuletzt 1998 um Klassenräume, Andachtshalle und Cafeteria und 2004 um eine zweigeschossige Bibliothek.

In the midst of an argument with the head of the cathedral school in 1225, the Archbishop of Mainz decided to admit any student into the Andreanum school who wanted to study there. The school must therefore have existed well before this event. As opposed to the Domschule, which was founded in 815 in conjunction with the Church and under the eye of the bishop, the Andreanum school was a product of the Hildesheim citizens. After 1542, however, Andreanum adopted the Lutheran school ordinance of Johannes Bugenhagen. Since 1977 it has been operated by the Evangelisch-lutherische Landeskirche Hannovers (Lutheran Church of Hanover). Important personalities such as the Nobel Prize winner Sir Hans Adolf Krebs, the explorer Friedrich Konrad Hornemann, the composer Georg Philipp Telemann, or the cultural politician Adolf Grimme, are all Andreanum graduates. The building that is used today was acquired in 1962. Over the years it has been consistently expanded: in 1998 it received new classrooms, a cafeteria and a worship hall, and in 2004 a two-story library.

En 1225, dans la dispute avec les écolâtres, l'archevêque de Mayence autorisa « l'Andreanum » à accueillir autant d'élèves qu'il voulait. L'existence de l'école remonte donc bien au-delà de sa première évocation dans les documents officiels. Contrairement à l'École de la Cathédrale, créée en même tant que l'évêché en 815, elle fut fondée en tant qu'école de citoyens. Après 1542, l'école s'orienta sur le règlement de l'école protestante-luthérienne de Johannes Bugenhagen. Depuis 1977, c'est l'Église protestante-luthérienne de Hanovre qui est responsable de l'établissement. Des personnalités importantes ont fait leur scolarité à « l'Andreanum » : Sir Hans Adolf Krebs, détenteur du prix Nobel, Friedrich Konrad Hornemann, chercheur spécialiste de l'Afrique, Georg Philipp Telemann, compositeur ou Adolf Grimme, politicien chargé de la culture. En 1962 l'école a emménagé dans le bâtiment utilisé actuellement, agrandi à plusieurs reprises, en dernier lieu en 1998 par des salles de classe, un espace de recueillement et une cafétéria. En 2004 on y a ajouté une bibliothèque à deux étages.

Sülte

Bereits 1034 weihte Bischof Godehard außerhalb der Stadt im sumpfigen Gebiet einer Salzquelle (Sulta) eine St.-Bartholomäus-Kapelle, zu der ein Hospital und ein Pilgerhaus gehörten. Die Klosteranlage wurde im Lauf der Jahrhunderte wegen der ungeschützten Lage vor der Stadtmauer mehrfach zerstört. In der heute noch erkennbaren H-Form entstand das klassizistische Gebäude 1849. Erstmals war ein Haus für eine psychiatrische Einrichtung geplant worden, und die Sülte erwarb sich den Ruf als „größte und angesehenste Anstalt Deutschlands". Nach der Aufgabe des Krankenhausstandortes 1976 drohte die Anlage zu zerfallen. Erst 1998 beauftragte der Rat eine Hildesheimer Investorengruppe, „die Sülte" in ein hochwertiges Hotel mit Veranstaltungssaal umzubauen. Zwei Jahre später eröffnete das Dorint-Hotel (heute: Novotel) seine Pforten. Wegen seiner innenstadtnahen und verkehrsgünstigen und dennoch ruhigen Lage erfreut es sich großer Beliebtheit. Die Sültequelle befindet sich im Park am Hotel.

As early as 1034, Bischof Godehard inaugurated both a saltwater spring (Sulta) and a chapel, St. Bartholomäus (which also operated a hospital and a pilgrims' guest house), in a marshy area outside of the city center. The St. Bartholomäus monastery complex was repeatedly damaged over the years, largely because of its exposed position close to the city wall. This classical structure was erected in its still-recognizable H form in 1849. At first, the building was used for a psychiatric facility. The "Sülte," as it was called, gained a reputation as the "largest and most distinguished institution in Germany." After the reassignment of the hospital's location in 1976, however, the facility faced the threat of abandonment and disintegration. In 1998, the city council commissioned a Hildesheim investment group to convert the "Sülte" into a high quality hotel and conference center. Two years later, the Dorint-Hotel (which is today the Novotel) opened its doors. Thanks to its quiet but accessible location, the hotel has become very popular. The Sültequelle can be found in the neighboring park.

Dès 1034, la chapelle St-Barthélémy fut consacrée par l'évêque Gothard. Elle était située en dehors de la ville, dans la zone marécageuse d'une source salée (Sulta). Un hôpital et une hôtellerie destinée aux pèlerins y étaient également rattachés. Au cours des siècles, en raison de sa position exposée devant le mur de la ville, le monastère fut détruit à plusieurs reprises. Le bâtiment classique en forme de H, facilement identifiable encore aujourd'hui remonte à 1849. C'était la première fois qu'une maison était prévue pour un établissement psychiatrique. La « Sülte » acquit la réputation « d'établissement le plus grand et le plus renommé d'Allemagne ». En 1967, après l'abandon du site de l'hôpital, le complexe menaçait de tomber en ruine. Ce n'est qu'en 1998 que le conseil municipal de la ville d'Hildesheim chargea un groupe d'investisseurs de transformer la « Sülte » en hôtel haut de gamme avec salle de spectacle. L'hôtel Dorint (aujourd'hui Novotel) ouvrit ses portes deux ans plus tard. Sa proximité du centre-ville, son emplacement bien desservi et malgré tout calme, en font un hôtel très apprécié. La source « Sülte » se trouve dans le parc de l'hôtel.

Villa Dyes

Sie sieht aus wie die kleine Schwester vom Schloss Marienburg bei Nordstemmen, die märchenhafte Villa, die der Kaufmann und Generalkonsul Ludwig (Louis) Dyes 1881 von Baumeister und Stadtbaurat Gustav Schwartz errichten ließ. Schwartz war Schüler von Conrad Wilhelm Hase. Der wiederum war der Architekt des 1857 bis 1864 gebauten Schlosses. Der hannoversche König Georg V. ließ es als Sommersitz für seine Gemahlin, die Königin Marie, bauen. Eine weitere Parallele: Der in Bremen wohnende Dyes wollte Villa, Park und Teiche ebenfalls nur im Sommer nutzen. Erst nach dem Tod seiner Frau zog er nach Hildesheim um. Bemerkenswert sind auch das südlich gelegene Gästehaus, das wegen seiner architektonischen Anleihen an die dortigen Chalets die Bezeichnung „Schweizerhaus" erhielt, die Orangerie zwischen den beiden Gebäuden und das westlich im Park versteckte Gärtnerhaus. Den Dyes-Park hatte Oberbürgermeister Ernst Ehrlicher der Öffentlichkeit zugänglich gemacht. Seit 1938 trägt er seinen Namen.

This gorgeous storybook villa, built in 1881 by the salesman and Consul General Ludwig (Louis) Dyes and the Stadtbaurat (or head of municipal planning) Gustav Schwartz, could be considered the little sister of Schloss Marienburg in Nordstemmen. Schwartz had been a student of Conrad Wilhelm Hase, who was the architect of the Marienburg castle, built between 1857 and 1864. King George V of Hanover had commissioned it for his wife, Queen Mary, as a summer home. Another parallel: Dyes, who lived in Bremen, wanted to reserve the use of his villa and the surrounding park for the summer. He first moved full-time to Hildesheim after the death of his wife. The villa's guest house, which has earned the nickname "Schweizerhaus" or "Swiss house" because of its chalet-style design, and the orangerie between the two houses as well as the garden house hidden in the park are also noteworthy. Ernst Ehrlicher, a Hildesheim mayor, took the initiative to open the villa's grounds to the public. Since 1938, it has been called the Ehrlicher-Park.

En 1881, le marchand et consul général Ludwig (Louis) Dyes pria Gustav Schwartz, architecte et conseiller à l'urbanisme, de construire pour lui cette villa féérique. On dirait la petite sœur du château de Marienburg près de Nordstemmen. Schwartz était un élève de Conrad Wilhelm Hase, lui-même architecte du château construit entre 1857 et 1864, que le roi de Hanovre Georg V avait fait ériger comme résidence d'été pour son épouse, la reine Marie. Autre parallèle : Dyes vivait à Brême et n'utilisait la villa, le parc et les étangs qu'en été. Ce n'est qu'après la mort de sa femme qu'il déménagea à Hildesheim. La maison d'hôte, située au sud, qualifiée de « maison suisse » en raison des emprunts architecturaux faits aux chalets de ce pays, l'orangerie entre les deux bâtiments et la maison de jardinier cachée à l'ouest du parc sont également remarquables. Depuis 1938, le parc Dyes porte le nom du bourgmestre Ernst Ehrlicher qui en donna l'accès au grand public.

Karthaus

Viele der katholischen Bildungs- und Sozialeinrichtungen gingen aus Ordensstiftungen hervor. Etliche der mittelalterlichen Klöster widmeten sich der Armen-, Alten- und Krankenfürsorge. Das vom Karthäuser-Kloster übriggebliebene Portal aus dem Jahr 1760 verweist auf drei in diesem Sinne tätige Einrichtungen. Die Karthäuser zogen nach den Zerstörungen des Dreißigjährigen Krieges 1659 von ihrem seit 1367 außerhalb der Stadtgrenze gelegenen Kloster in die Nähe der Dommauer um. 1852 stellte die Armenverwaltung der Stadt drei Schwestern vom Orden des Heiligen Vinzenz von Paul aus dem Mutterhaus der Barmherzigen Schwestern zu Paderborn den Südflügel der Karthause für die Krankenpflege zur Verfügung. Daraus ging das heutige St.-Bernward-Krankenhaus hervor, das hinter dem Portal liegt. Davor liegt auf der anderen Straßenseite das Mutterhaus der 1857 gegründeten Hildesheimer Schwestern-Kongregation, die in der benachbarten ehemaligen Paulinerkirche ein Alten- und Pflegeheim betreibt.

Several of the Catholic educational and social service organizations in Hildesheim were established by religious foundations. Many of the medieval monasteries dedicated themselves to the care of the poor, elderly and sick. The still-intact portal from the Karthäuser monastery, dating back to 1760, refers to three of the Catholic social service organizations that existed at that time. In 1659, after the destruction caused in the Thirty Years' War, the Karthäuser monks moved from their 1367 monastery outside of the city center to a central building near the cathedral walls. In 1852, three nuns from the Paderborn Orden des Heiligen Vinzenz von Paul decided to give the city's refuge for the poor a new home in the south wing of the Karthause. These were the foundations of what is now the St. Bernward Hospital. Across the street lies the convent of the Hildesheim congregation of Sisters, which serves in the neighboring retirement and nursing home located in the former Paulinerkirche.

Les fondations des ordres ont créé de nombreux établissements catholiques éducatifs et sociaux. Beaucoup de monastères médiévaux se consacraient aux soins des pauvres, des vieux et des malades. Le portail du monastère de la chartreuse qui date de 1760 a été conservé et renvoie à trois établissements œuvrant dans ce sens. En 1659, après les destructions de la Guerre de Trente ans, les chartreux quittèrent leur monastère, situé en dehors des limites de la ville depuis 1367 et ils s'installèrent près du mur de la cathédrale. En 1852, l'administration municipale chargée des pauvres, mit trois sœurs de l'ordre de Saint-Vincent-de Paul, issues de la maison mère des Sœurs de la Charité de Paderborn, à disposition pour le soin des malades. Elle les installa dans l'aile sud de la chartreuse. L'actuel hôpital Saint-Bernward, situé derrière le portail, en est issu. La maison-mère de la Congrégation des Sœurs d'Hildesheim fondée en 1857, est située plus haut, de l'autre côté de la rue. Elle exploite une maison de retraite et de soin dans l'ancienne Eglise Pauliner située à proximité.

Didrik-Pining-Brunnen

Auf Didrik oder Dietrich Pining sind die Hildesheimer besonders stolz. Der um 1422 geborene Seefahrer und Entdecker soll als Admiral in dänischen Diensten bereits 20 Jahre vor Columbus im Verlauf einer Grönlandexpedition amerikanischen Boden betreten haben. Geschichtswissenschaftler verweisen skeptisch auf die dürftige Quellenlage. Trotzdem bekennen sich eine Dietrich-Pining-Straße, eine Didrik-Pining-Schule, ein Didrik-Pining-Raum im Rathaus und eben der Didrik-Pining-Brunnen an der Kardinal-Bertram-Straße 1 durch ihren Namen zu ihrem Patron – obwohl der seinerzeit auch zu Seeräubereien neigte. Allerdings trat er 1490 als Statthalter von Island auch als Friedensstifter hervor; noch heute heißt dort ein altes Gesetz zum Arbeits- und Steuerrecht Piningsdomur. Jan Obornik brachte das alles im Jahr 2000 mit seinem von der Stadtsparkasse und dem Landschaftsverband gestifteten Denkmal zum Ausdruck: Der Enterhaken zierte schon Pinings Wappen, der Bogen deutet sein Expeditionsfeld an, der Spiegel erzeugt den Eindruck von Weite, und vom Wasser wird er umgeben.

Hildesheimers are especially proud of Didrik or Dietrich Pining. Born in 1422, Pining was a boat captain and explorer. There is some evidence that as an admiral in the Danish navy, a Greenland expedition led him to American soil twenty years before Columbus arrived on the continent. Historians are skeptical about the accuracy of the scant source material. What's more, documents hint that Pining had taken a liking to piracy. Despite his questionable past, Hildesheim boasts a wealth of landmarks in honor of this former fellow citizen: a Dietrich Pining Straße, a Didrik Pining Schule, a Didrik Pining room in the townhall and a Didrik Pining fountain on Kardinal Bertram Straße. It is certain that Pining played an active role as peacemaker during a stint as governor in Iceland. Even there his legacy is carried on: an old law regarding work and tax rights, the "Piningsdomur," refers to his name. Jan Obornik, the sculptor of the Pining fountain (funded by the city savings bank and the Landschaftsverband), created a thoughtful statement about this hero's legend through the use of several symbols: the nautical grappling hook (from Pining's coat of arms), the arch (the explorations and expeditions), the mirror (an impression of distance), and the surrounding water.

Les habitants d'Hildesheim sont particulièrement fiers de Didrik ou Dietrich Pining. Au cours d'une expédition au Groenland en qualité d'amiral au service des Danois, le navigateur et explorateur né vers 1422 aurait mis le pied sur le sol américain 20 ans avant Christophe Colomb. Vu les sources rudimentaires, les historiens sont plutôt sceptiques. Malgré tout, malgré la fâcheuse tendance à la piraterie dont il faisait preuve à l'époque – la rue Dietrich-Pining, l'école Didrik-Pining, la salle Didrik-Pining de l'hôtel de ville et la fontaine Didrik-Pining au numéro un de la rue du Kardinal-Bertram soutiennent leur patron. En 1490, en qualité de gouverneur d'Islande, il se distingua également comme pacificateur. Aujourd'hui encore une vieille loi islandaise concernant le droit du travail et le droit fiscal porte le nom de Piningsdomur. En l'an 2000, Jan Obornik réalisa la fontaine Didrik-Pining, financée par la Caisse d'Épargne de la ville et par le Landschaftsverband (l'association paysagiste): Le grappin ornait déjà le blason de Pining, l'arc évoque l'étendue de son expédition, le miroir donne une impression de distance et le monument est entouré d'eau.

Bismarckturm

Zwei Türme ließen die Hildesheimer um die Wende zum 20. Jahrhundert auf dem Höhenzug des Galgenbergs errichten, nachdem sie ihn in den Jahren davor aufgeforstet und mit promenadenhaften Wegen verschönert hatten. Der ältere, der 1886 gebaute „Gelbe Turm", repräsentiert als Klinkerbau in neugotischem Stil den damaligen Bürgerstolz – 110 Jahre später erinnerten sich Bürger daran und retteten ihn mit einer Grundsanierung und dem Aufbau einer Volkssternwarte vor dem Verfall. Den jüngeren, den Bismarckturm, ließ ein Komitee national gesinnter Hildesheim errichten und zum 90. Geburtstag des „Eisernen Kanzlers" am 1. April 1905 einweihen. 240 Bismarcktürme schossen in Deutschland in den Jahren nach seinem Tod in den Himmel. Der in Hildesheim und 46 weitere wurden nach dem Entwurf „Götterdämmerung" von Wilhelm Kreis, dem Architekten des Leipziger Völkerschlachtdenkmals, gebaut. Seit 1999 überragt der Bürgerturm den 20 Meter hohen patriotischen Trutzbau um ganze acht Meter.

At the turn of the twentieth century two towers were built on the Galgenberg hills after the area had been reforested and lined with promenades. The older among the two, a brick, neo-Gothic version, is termed the "Gelbe Turm" or "Yellow Tower" and represents the pride of citizens at the time of its construction. 110 years later, citizens saved the decaying building with a thorough renovation and the installation of a public observatory inside its walls. The younger tower, called the Bismarckturm, was erected as a result of a patriotic citizens' campaign and inaugurated on April 1st, 1905, the "Iron Chancellor"'s 90th birthday. A total of 240 towers across Germany named after Bismarck fired honorary shots towards the heavens in the years after his death. Hildesheim's tower and 46 others were designed after the architect Wilhelm Kreis's "Götterdämmerung" model. Kreis built the Leipzig Monument to the Battle of the Nations (Völkerschlachtdenkmal). In 1999, the „Gelbe Turm" (at least 28 meters in height) surpassed the 20-meter, patriotic Bismarckturm.

Au tournant du XXᵉ siècle, après avoir reboisé et embelli la colline du Galgenberg en y aménageant des chemins de promenade quelques années auparavant, les habitants d'Hildesheim y firent ériger deux tours. La« Tour Jaune», la plus ancienne des deux, construite en 1886 en style néo-gothique en briques faisait la fierté des habitants de l'époque – 110 ans plus tard, les citoyens s'en souvinrent et la sauvèrent de la ruine en la rénovant en profondeur et en y installant un observatoire populaire. La tour Bismarck, plus récente, est l'œuvre d'un comité d'habitants d'Hildesheim aux tendances nationales qui la fit ériger et inaugurer pour le 90ᵉ anniversaire du «chancelier de fer». Dans les années après la mort de celui-ci, 240 tours Bismarck surgirent dans le ciel d'Allemagne. Celle d'Hildesheim et 46 autres furent construites d'après le plan «crépuscule des dieux» de Wilhelm Kreis, l'architecte du monument de la Bataille des Nations de Leipzig. Depuis 1999 la tour des citoyens surplombe de huit mètres le bâtiment patriotique haut de 20 mètres.

Huckup-Denkmal

In der Zeit um 1900 drückte sich der Hildesheimer National- und Bürgerstolz in zahlreichen Denkmalsstiftungen aus. Das patriotische Kaiser-Wilhelm-Denkmal am nördlichen Ende der Sedanallee weihte Kaiser Wilhelm II. am 31. Oktober 1900 höchstpersönlich ein. Die bürgerlichen Denkmäler, von denen die meisten den Zweiten Weltkrieg nicht überstanden, setzten Märchen und Sagen in Szene. Der Huckup ist das einzige, das weder eingeschmolzen noch zerstört wurde. Inmitten der ausgebrannten Ruinen erzählte er den Betrachtern in Bild und Hildesheimer Platt seine Geschichte: „Junge, lat dei Appels stahn, / süs packet deck dei Huckup an / Dei Huckup is en starken Wicht, / hölt mit dei Stehldeifs bös Gericht." Der Dresdener Bildhauer Carl Roeder verkörperte im „Huckup" (= Hock auf) 1905 das den Dieb quälende schlechte Gewissen.

Around 1900, local and national Hildesheim pride manifested itself in a wealth of foundations devoted to the creation of monuments and memorials. The patriotic Kaiser Wilhelm Denkmal on the northern end of the Sedan Path was inaugurated on October 31st 1900 by Emperor William II himself. Many of the local, smaller monuments, few of which survived the Second World War, had depicted fairy tales and myths. The "Huckup," built in 1905 by the Dresden sculptor Carol Roeder, is the only one that wasn't either destroyed or melted in flames. After the war, in the midst of rubble and wreckage, it continued to communicate its moral to onlookers. The vivid sculpture is inscribed with words in Hildesheim Platt-German: „Junge, lat dei Appels stahn, / süs packet deck dei Huckup an / Dei Huckup is en starken Wicht, / hölt mit dei Stehldeifs bös Gericht." The Huckup (which comes from "Hock auf"), a regional legendary figure, is a dwarf or goblin who devotes himself to castigating robbers. The text, addressing the thief depicted in the sculpture, advises him to let go of the apples he's stolen, warning that if he doesn't, the strong, thief-punishing Huckup will grab him by the neck and never let go. Roeder brilliantly portrays this metaphor for a thief's bad conscience.

Vers 1900, les habitants d'Hildesheim exprimèrent leur fierté nationale et citoyenne en faisant don de nombreux monuments. Le 31 octobre 1900, Guillaume II inaugura personnellement le monument patriotique à l'empereur Guillaume, situé en bordure nord de l'allée de Sedan. Les monuments citoyens, dont la plupart n'ont pas survécu à la Seconde Guerre mondiale, mettaient en scène des contes et des légendes. Le Huckup est le seul à ne pas avoir été fondu ou détruit. Au beau milieu de ruines incendiées, il racontait à ceux qui le contemplaient son histoire en image et dans le dialecte d'Hildesheim: «Junge, lat dei Appels stahn, / süs packet deck dei Huckup an / Dei Huckup is en starken Wicht, / hölt mit dei Stehldeifs bös Gericht.» («Mon gars, laisse les pommes / sinon le Huckup va t'attraper / le Huckup est un nain très fort / il juge durement les voleurs»). Avec le Huckup (= celui qui s'accroupit), en 1905, Carl Roeder, sculpteur de Dresde avait incarné la mauvaise conscience qui torturait le voleur.

Die moderne Stadt und ihre Ortsteile

Nichts ist so beständig wie der Wandel. Bis zum Ende des Zweiten Weltkriegs vollzog sich die Veränderung Hildesheims in Phasen und Schüben, aber immer inmitten des Überkommenen und als dessen Ergänzung. Nach der fast vollständigen Zerstörung 1945 entschieden sich die Verantwortlichen in Verwaltung und Politik sowie mehrheitlich auch die Hildesheimerinnen und Hildesheimer für einen Neuaufbau, der nur ganz selten ein Wiederaufbau war. Das Leitbild der verkehrsgerechten Stadt spiegelt sich in den neuangelegten breiten Straßen wider, die um die Innenstadt herumführen oder die Stadtteile durchschneiden. Bei den Häusern herrschten anfangs die Baustoffe Beton und Glas vor, später verwendete man, zunächst bei den großen Verwaltungsgebäuden des Landkreises und der Sparkassen, dann aber auch beim Wohnungsbau, wieder Backsteine. Hochhauswohnungen entstanden, wo noch vor wenigen Jahrzehnten Wohnraum in vorstädtischen Kleinsiedlungshäusern geschaffen worden war: am Godehardikamp, in Neuhof, in Ochtersum oder in Drispenstedt. Gewerbegebiete und großflächiger Wohnungsbau verringerten oder schlossen gar die Abstände zwischen der Kernstadt und den benachbarten Ortschaften. Zwölf bis dahin selbständige Gemeinden wurden zwischen 1971 und 1974 Teil der Stadt. Ihnen verdankt Hildesheim seine heutige Größe.

Nothing is as consistent as change. Until the end of the Second World War, changes in Hildesheim had come in fits and starts, but always in cooperation with and as an extension of tradition. After the exhaustive destruction that 1945 brought, the political and administrative leaders and the majority of the inhabitants decided upon the option of redesigning most buildings from scratch instead of seeking to duplicate the lost monuments. The accessibility and approachability of the old, lost Hildesheim still exists: today, it's the broad streets circling the city center or cutting through the surrounding neighborhoods that allow for Hildesheim's connectedness. In the early phases of post-war reconstruction, most buildings were reborn in concrete and glass. Since then, beginning with regional governmental buildings and the Sparkasse and later continuing with family houses, brick became increasingly popular as a construction material. In Hildesheim suburbs such as Godehardikamp, Neuhof, Ochtersum or Drispenstedt, high-rises have replaced the small pre-war settlement houses to compensate for the expansion of the city's population. The development of industrial areas and the large-scale apartment building construction has reduced or even eliminated the cultural and physical separation of city center and neighboring suburbs. Between 1971 and 1974, twelve independent bordering villages became official parts of Hildesheim. It is thanks to these incorporated 'suburbs' that Hildesheim can consider itself a city rather than a town.

Rien de plus constant que le changement. Jusqu'à la fin de la Deuxième Guerre mondiale, la transformation d'Hildesheim s'est faite par étapes, mais toujours dans le souci de ce qui avait été transmis et comme son complément. En 1945, après la destruction quasi-totale de la ville, les responsables de l'administration et de la politique, ainsi que la majorité des habitantes et des habitants d'Hildesheim optèrent pour une reconstruction qui était très rarement une restitution. Les rues larges nouvellement construites qui contournent le centre-ville ou découpent les quartiers reflète un modèle urbain soucieux des besoins des transports. Au début, le béton et le verre dominaient dans la construction des maisons, plus tard, on recommença à utiliser les briques, d'abord pour les grands bâtiments administratifs de la circonscription régionale et pour les caisses d'épargne puis également pour la construction des logements. Là, où quelques décennies plus tôt, on avait créé des logements dans des petits lotissements de maisons de banlieue, des tours apparurent: Godehardikamp, Neuhof, Ochtersum ou Drispenstedt. Les zones industrielles et la vaste construction de logements réduisirent, colmatèrent même les espaces entre le centre-ville et les localités voisines. Entre 1971 et 1974, douze communes jusqu'alors indépendantes devinrent partie intégrante de la ville. Hildesheim leur doit sa grandeur actuelle.

Fußgängerzone

1968 wurde der erste Bauabschnitt der Fußgängerzone für den Betrieb freigegeben, 1976 der siebte und letzte. Schwer vorstellbar erschien es in den Jahren davor, eine der Hauptverkehrs- und Geschäftsstraßen der Stadt vom Autoverkehr zu entkoppeln. Das Experiment gelang, und die Innenstadt blühte auf. Straßencafés und Bänke unter Schatten spendenden Bäumen, dazu Plätze für Kleinkünstler und Straßenmusikanten verhalfen den Hildesheimern zur Wiederentdeckung der Langsamkeit. Die allerdings ist in Gefahr. Der inhabergeführte Einzelhandel befindet sich auf dem Rückzug, die Beratung, die früher im Fachgeschäft stattfand, übernimmt immer stärker das Internet. Dass immer mehr über die Fläche verkauft wird, zeigt die Arneken-Galerie, die mit über sechzig Geschäften auf mehr als 30 000 Quadratmetern 2012 eröffnete und durch zwei Passagen mit der Fußgängerzone verbunden ist. Auch das ist ein Zeichen der Zeit: Die großen Einkaufsmärkte kehren vom Stadtrand in die Innenstadt zurück.

In 1968, the first pedestrian, car-free zone in Hildesheim was paved out in the city center. In 1976, the seventh and last was created. In the preceding years it might have been hard to imagine that turning an important and traffic-heavy main street into a large sidewalk could possibly be a practical choice. However, the experiment succeeded and the city center has blossomed as a result of these changes. Outdoor cafes have flourished and multiplied and many shady benches provide a welcoming environment to passersby. Pedestrian zones have acted as vibrant and supportive public spaces for street artists and musicians. The relaxed, creative atmosphere in these areas has helped Hildesheimers to rediscover 'taking it easy.' This phenomenon, however, is endangered in Hildesheim as it is in many of the world's cities. The local, family-owned shops of the past are slowly disappearing as larger chains take over; simultaneously, the all-encompassing service provided by the Internet is extinguishing the need for personalized specialty businesses. The Arneken Gallery in the city center opened in 2012 and contains more than 60 shops over more than 30 000 square meters. It is linked to one of the pedestrian zones by two separate passageways. The Gallery stands among abundant evidence of the growing importance of commercialism in urban life. It is only one of several shopping malls that have relocated from the edge of town into the heart of the city itself.

La première tranche de travaux de construction de la zone piétonne fut validée en 1968, la septième le et dernière en 1976. Des années auparavant, on aurait difficilement pu s'imaginer renoncer à l'accès à la circulation automobile dans une des rues les plus commerçantes. L'expérience réussit et le centre-ville prospéra. Les cafés à terrasses et les bancs ombragés sous les arbres, les emplacements réservés aux petites scènes et aux musiciens des rues permirent aux habitants d'Hildesheim de redécouvrir la langueur, désormais menacée. Les commerces de détails dirigés par leurs propriétaires battent en retraite, Internet prend de plus en plus le relais du conseil prodigué autrefois dans les magasins spécialisés. La galerie Arneken, ouverte en 2012 avec plus de soixante magasins sur plus de 30 000 mètres carrés, reliée à la zone piétonne par deux passages, prouve que le commerce se fait de plus en plus sur des grandes surfaces. Un autre signe des temps : les grands centres commerciaux quittent la périphérie de la ville et réintègrent le centre.

An der Lilie

Die Lilie als Platz hinter dem Rathaus entstand erst nach dem Zweiten Weltkrieg. Vorher standen hier Häuser, und irgendeine Art von Bebauung wird immer mal wieder vorgeschlagen, dann aber wieder verworfen. Wo, wenn nicht hier, könnten denn sonst Weinfeste gefeiert und Weihnachtsmärkte veranstaltet werden? Der historische Marktplatz reicht dafür schon lange nicht mehr aus. Der mit Platten ausgelegte Platz verwandelt sich im Winter in eine 700 Quadratmeter große Eisfläche und im Sommer in einen Stadtstrand. Ansonsten kann man sich an warmen Tagen von einem angrenzenden Restaurant aus bedienen lassen oder unter einer Pergola einfach den Tag vorüberziehen lassen. Der Name „Lilie" hat ursprünglich nichts mit den Blumen zu tun, die Joachim Wolff, Lehrte, anlässlich des 275-jährigen Bestehens der Hildesheimer Allgemeinen Zeitung 1980 aus seinem „Lilienbrunnen" aufsteigen ließ. Als „Lilie" bezeichnete man früher den nördlichen Turm des Rathauses.

An der Lilie, a square behind the Hildesheim Rathaus, came into existence after World War II. Previously, residential houses had occupied the plot. Even today, the city repeatedly receives proposals for the construction of larger new buildings there, but these proposals are always rejected; which other public space could so gracefully host Christmas markets or wine festivals? The historical Marktplatz is too small to accommodate all of the events that take place outdoors in the city center, and this place has acted for years as the first alternative. During the winter, the tiled square is converted into an ice skating rink and in the summer into a city beach. On warm spring or autumn days, passersby can sit in the outdoor cafes or under an arbor and watch the day go by. The name "Lilie" has nothing to do with botany, as Joachim Wolff expressed in it's fountain made to celebrate the 275th anniversary of the Hildesheimer Allgemeine Zeitung in 1980. As it turns out, "Lilie" was simply an earlier term for the northern one of the townhall's towers.

La place « Lilie » a été aménagée après la Seconde Guerre mondiale derrière l'hôtel de ville. Auparavant, il y avait là des maisons. Un type de construction est souvent proposé puis rejeté ensuite. Où organiser les fêtes du vin et les marchés de Noël, sinon ici? Depuis longtemps, la Place du Marché historique ne suffit plus pour ces manifestations. En hiver, la place recouverte de plaques se transforme en patinoire de 700 mètres carrés et en été elle devient une plage urbaine. Le reste du temps, aux beaux jours, on peut se faire servir dans un restaurant voisin ou jouir simplement du temps qui passe sous une pergola. À l'origine, le nom « Lilie » (lys) n'a rien à voir avec les fleurs, que Joachim Wolff, Lehrte, fit jaillir de sa « fontaine des Lys » à l'occasion du 275e anniversaire du quotidien d'Hildesheim en 1980. Autrefois on désignait la tour Nord de l'hôtel de ville comme « Lilie (lys) ».

Moritzberg

Bis 1911 war Moritzberg eine selbständige Gemeinde. Seine Geschichte ist eng mit der Hildesheims verknüpft. Bischof Godehard richtete hier schon 1025 ein Benediktinerkloster ein. Hier starb er 1038. Die Stiftskirche, in der 1079 Bischof Hezilo beigesetzt wurde, war eine Vorgängerin der heutigen St.-Mauritius-Kirche, die eine im Dreißigjährigen Krieg zerstörte Kirche ersetzte. Sie liegt am Ende der Bergstraße und am Rande des Berghölzchens auf dem Rücken des Zierenbergs, dessen Name auf einen heiligen Ort des Gottes Ziu verweisen soll. Steile und enge Straßen sowie über Treppen verbundene Wege laden heute zum entspannten Spaziergang ein. Hier begegnet man noch den früher stadtbildprägenden Fachwerkhäusern aber auch eindrucksvollen Steinbauten wie der Villa Windthorst (1881) oder der Gelben Schule (1900). Denkmalgeschützte Industriearchitektur ist von den Wetzell-Gummiwerken (später Phönix) übriggeblieben, nachdem dort 2006 der Betrieb eingestellt wurde.

Moritzberg was an independent municipality until 1911 but its history is closely linked to Hildesheim's. Bishop Godehard built a Benedictine monastery on Moritzberg in 1025 and died there in 1038. The monastery in which Bishop Hezilo was buried in 1079, was a predecessor of today's St. Mauritius Kirche, which itself replaced a building destroyed in the Thirty Years' War. Today it is located at the end of Bergstraße, on the edge of the Berghölzchen and the backside of Zierenberg (whose name refers to a holy place inhabited by the god Ziu). Narrow, steep streets and paths connected by stairways invite many a hiker and wanderer. The area is home to classic half-timbered houses as well as to several distinguished stone buildings such as the Villa Windthorst (from 1881) or the Gelbe Schule ("Yellow School," 1900). Industri-al architecture leftover from the Wetzell-Gummiwerke factory (later called Phönix), closed in 2006, have been preserved as historical monuments.

Jusqu'en 1911, Moritzberg était une commune autonome. Son histoire est étroitement liée à celle d'Hildesheim. Dès 1025, l'évêque Gothard y installa le monastère bénédictin où il mourut en 1038. L'évêque Hezilo fut inhumé dans l'église collégiale en 1079. Elle précéda l'église actuelle de Saint-Mauritius, qui remplaça elle-même une église détruite pendant la Guerre de Trente ans. Elle se trouve au bout de la rue Bergstraße et en bordure du Berghözchen au flanc du Zierenberg, dont le nom renvoie, dit-on, à un lieu saint du dieu Ziu. Des rues étroites et escarpées et des chemins reliés par des escaliers invitent aujourd'hui à une flânerie. Moritzberg présente aujourd'hui encore des maisons à colombage, autrefois typiques pour la ville et également des bâtiments impressionnants en pierre comme la Villa Windthorst (1881) ou la Gelbe Schule (l'école jaune) (1900). Les usines de caoutchouc Wetzell (ultérieurement Phönix) ont été conservées comme témoin de l'architecture industrielle protégée à titre de monument historique. Leur activité a cessé en 2006.

Marienrode

Ein idyllisches Stückchen Erde hatten sich die Augustiner im 12. Jahrhundert für ihr Kloster ausgesucht. Es liegt versteckt am langen Höhenzug des Tosmar auf einer von Feld und Wald umgebenen Insel. Wer sie betritt, erahnt den Sinn der benediktischen Ordensregel „Bete und arbeite". Nach nur dreißig Jahren übernahmen die Zisterzienser das Kloster und betrieben es bis zur Säkularisation 1806 mit großem Erfolg. Erst 1986 ging das Kloster wieder in kirchlichen Besitz über. 1988 zogen Benediktinerinnen der Abtei St. Hildegard zu Elbingen ein. Wer zur Ruhe kommen will, besucht einen ihrer Gottesdienste in der Klosterkirche St. Michael, meditiert im Kreuzgang oder nimmt für ein paar Tage Abschied von der Welt im Exerzitien- und Gästehaus. Oder er schlendert um den Fischteich, in dessen Nähe eine restaurierte Bockwindmühle aufragt. Da kann es aber auch schon einmal etwas lauter zugehen. Die Mühle ist die Attraktion des Jugendheims, das der Landkreis Hildesheim hier – weit genug vom Kloster entfernt – betreibt.

In the 12th century, the Augustinian monks had searched for an idyllic piece of land upon which to build their monastery. They found this oasis, an island surrounded by fields and forest, hidden in the Tosmar hills. Nowadays, visitors can immediately guess the meaning behind the Augustinian code, "Pray and Work" upon seeing this piece of land. After the first thirty years in operation, the Cistercians took over the monastery and lived there harmoniously until secularization in 1806. After this point, it wasn't until 1986 that the monastery was taken over by the Church again. In 1988, the Benedictine nuns from the St. Hildegard Abbey in Elbingen moved in. Visitors seeking serenity can attend services in the Klosterkirche St. Michael, meditate in the cloister, or recuperate in the retreat center and guesthouse. The fishponds and the nearby Bockwindmühle are also appealing attractions for those looking to relax. The mill, however, can get crowded and noisy – it's a popular destination for Hildesheim's regional youth center.

Au XIIᵉ siècle, pour bâtir leur monastère, les moines augustins avaient choisi un petit bout de terre idyllique, dissimulé dans la longue chaîne de montagnes du Tosmar sur un îlot entouré de champs et de forêt. En pénétrant dans le monastère, le visiteur devine le sens profond de la règle de l'ordre des bénédictins: «Prie et travaille». Au bout de trente ans seulement, les cisterciens reprirent le monastère et l'exploitèrent avec succès jusqu'à sa sécularisation en 1806. Le monastère ne repassa à la propriété de l'église qu'en 1986. Les bénédictines de l'abbaye Sainte-Hildegard zu Elbingen y ont emménagé en 1988. Les personnes en quête de calme peuvent assister à un de leurs offices religieux dans l'église du monastère Saint-Michel, méditer dans le cloître ou se retirer quelques jours du monde dans la maison des exercices spirituels et des hôtes. Elles peuvent également flâner autour du vivier, à proximité duquel se dresse un moulin à vent restauré. Il se peut qu'il y ait du bruit car le moulin est l'attraction du foyer socio-éducatif de la circonscription d'Hildesheim – par bonheur à bonne distance du monastère.